Tove Jansson   Die EHRLICHE BETRÜGERIN

Tove Jansson

Die EHRLICHE BETRÜGERIN

Aus dem Schwedischen von Birgitta Kicherer

Urachhaus

Für Maya

Alle in diesem Buch geschilderten Personen haben keine Entsprechung in der Wirklichkeit, ebenso wenig wie das geschilderte Dorf auf irgendeiner Landkarte zu finden ist.

Tove Jansson

Die Originalausgabe erschien 1982 unter dem Titel
Den ärliga bedragaren bei Schildts Förlag Ab, Helsinki.

ISBN 978-3-8251-7889-5

Erschienen 2015 im Verlag Urachhaus
www.urachhaus.de

ⓔ auch als eBook erhältlich

1

Es war einer der üblichen dunklen Wintermorgen, und es schneite noch immer. Kein einziges Fenster leuchtete im Dorf. Katri schirmte die Lampe ab, um ihren Bruder nicht zu wecken. Im Zimmer war es sehr kalt. Sie kochte Kaffee und stellte die Thermosflasche neben sein Bett. Vor der Tür lag der große Hund und beobachtete Katri mit der Schnauze zwischen den Pfoten, er wartete darauf, dass sie mit ihm hinausgehen würde.

Seit einem Monat schneite es auf das Küstenland herab. Niemand konnte sich erinnern, dass es je so viel Schnee gegeben hatte, diesen ständig fallenden Schnee, der sich vor Türen und Fenstern häufte, auf den Dächern lastete und nie auch nur eine einzige Stunde lang aussetzte. Kaum waren die Gehwege freigeschaufelt, da schneiten sie schon wieder zu. Die Kälte machte jede Arbeit in den Bootsschuppen unmöglich. Da es keinen Morgen mehr gab, wachten die Leute spät auf; das Dorf lag stumm unter dem unberührten Schnee, bis die Kinder herausgelassen wurden, Tunnel und Höhlen gruben, schrien und sich selbst überlassen blieben. Es war ihnen verboten worden, Katri Klings Fenster mit Schneebällen zu bewerfen, doch sie taten es trotzdem. Katri wohnte mit ihrem Bruder Mats und ihrem großen Hund, der keinen Namen hatte, auf dem Dachboden über dem Laden des Kaufmanns. Vor Tagesanbruch pflegte sie mit dem Hund herauszukommen und die Dorfstraße entlangzugehen, zum Leuchtturm hinaus; das tat sie jeden Morgen, und allmählich wachten die Leute auf und sagten, es schneit immer noch, und da geht sie jetzt wieder mit ihrem Hund, und den Wolfspelzkragen hat sie wieder an. Dass sie dem Hund keinen Namen gibt, das ist unnatürlich, alle Hunde müssen einen Namen haben.

Die Leute behaupteten, Katri Kling interessiere sich für nichts als Zahlen und ihren Bruder. Und sie fragten sich, woher Katri ihre gelben Augen wohl habe. Mats' Augen waren ebenso blau, wie es die Augen der Mutter gewesen waren, und wie der Vater eigentlich ausgesehen hatte, wusste niemand mehr; es war schon so lange her, dass er nach Norden gefahren war, um eine Partie Holz zu kaufen und für immer wegzubleiben – und überhaupt, ein Zugereister. Man ist es ja gewöhnt, dass die Augen aller Menschen mehr oder weniger blau sind, aber Katris Augen waren beinahe so gelb wie die des Hundes. Sie musterte alles, was um sie herum vorging, durch schmale Augenschlitze, und es kam nur selten vor, dass jemand ihre unnatürliche Augenfarbe entdeckte, mehr gelb als grau. Katris ständiges, so leicht gewecktes Misstrauen öffnete ihr manchmal die Augen in einem raschen, direkten Blick, und bei gewisser Beleuchtung waren diese Augen dann tatsächlich gelb, was ihrem Gegenüber ein starkes Gefühl von Unsicherheit gab. Man spürte, dass Katri Kling niemandem vertraute außer sich selbst und sich für niemanden interessierte außer für sich selbst und ihren Bruder, den sie seit seinem sechsten Lebensjahr großgezogen und beschützt hatte, und das hielt die Leute auf Abstand. Außerdem hatte noch kein Mensch jemals gesehen, dass der namenlose Hund mit dem Schwanz gewedelt hätte. Auch nahmen diese Person und ihr Hund von keinem Menschen Freundlichkeiten an.

Nach dem Tod der Mutter hatte Katri es übernommen, im Kaufladen zu bedienen, außerdem machte sie die Buchführung. Sie hatte einen sehr hellen Kopf. Und im Oktober hatte sie gekündigt. Es hieß, der Kaufmann hätte sie am liebsten aus dem Haus gehabt, traue es sich aber nicht, es ihr zu sagen. Mats zählte nicht. Er war fünfzehn, zehn Jahre jünger als die Schwester, lang und kräftig und wurde allgemein für etwas einfältig gehalten. Er übernahm allerlei Gelegenheitsarbeiten im Dorf, hielt sich aber die meiste Zeit im Bootsschuppen der Brüder Liljeberg auf, wenn der Bootsbau nicht gerade wegen der Kälte unterbrochen werden musste. Die Brüder Liljeberg beschäftigten ihn mit verschiedenen, nicht allzu anspruchsvollen Dingen.

Die Fischerei war in Västerby schon längst aufgegeben worden, sie lohnte sich nicht mehr. Im Dorf gab es drei Bootsschuppen, in denen gebaut wurde, und in einem dieser Schuppen wurden im Winter auch Boote zum Schleifen und zur Überholung angenommen. Die besten Bootsbauer waren die Brüder Liljeberg. Sie waren zu viert, alle unverheiratet. Edvard war der Älteste, er fertigte die Pläne für die Boote an. Außerdem fuhr er das Postauto in den Marktflecken und brachte von dort Waren für den Kaufmann mit. Das Auto gehörte dem Kaufmann und war das einzige Auto im Dorf.

Die Bootsbauer in Västerby waren stolze Leute, sie signierten jedes Boot mit einem doppelten V, als wäre ihr Dorf das älteste namens Västerby im ganzen Land. Die Frauen häkelten Bettüberwürfe in alten bewährten Mustern, die sie ebenfalls mit einem doppelten V versahen, und im Juli kamen die Sommervögel und kauften ein, sowohl Boote als auch Bettdecken, und führten ihr leichtes Sommerleben, solange die Wärme währte. Gegen Ende August war alles wieder still und wie immer. Und nach und nach kam der Winter.

Inzwischen war das morgendliche Dämmerlicht dunkelblau geworden, der Schnee begann zu leuchten, in den Küchen gingen die Lichter an, und jetzt wurden die Kinder herausgelassen. Die ersten Schneebälle schlugen gegen das Fenster, Mats schlief jedoch ruhig weiter.

Ich, Katri Kling, liege nachts oft wach und denke nach. Für Nachtgedanken sind meine Gedanken vermutlich erstaunlich sachlich. Meistens denke ich an Geld, an viel Geld, daran, wie ich es rasch bekommen und es klug und ehrlich an mich bringen könnte, so viel Geld, dass ich nicht mehr daran denken müsste. Und später würde ich es zurückzahlen. Als Erstes bekäme Mats sein Boot, ein großes, seetüchtiges Boot, mit Kajüte und eingebautem Motor, das beste Boot, das je in diesem sonst so erbärmlichen Dorf gebaut worden ist. Jede Nacht höre ich den Schnee am Fenster, das weiche Flüstern des Schnees, den der Wind vom Meer hereintreibt, das ist gut, wenn nur das ganze Dorf darin versteckt, ausgelöscht und endlich sauber werden könnte. Nichts ist so ruhig und so unendlich wie eine lange winterliche Dunkelheit, sie hört einfach nicht auf, es ist, als lebte man in einem Tunnel, in dem die Dunkelheit sich ab und zu zur Nacht vertieft und ab und zu zur Tagesdämmerung wird, man ist von allem abgeschirmt, geschützt und einsamer als sonst, man wartet und versteckt sich, wie die Bäume. Es heißt, dass Geld stinkt, das ist nicht wahr. Geld ist ebenso sauber, wie es die Zahlen sind. Die Menschen sind es, die stinken, ein jeder von ihnen hat seinen eigenen verborgenen Gestank, und wenn sie wütend werden, sich schämen oder sich fürchten, wird der Gestank stärker. Der Hund spürt das, er weiß es augenblicklich. Wenn ich wie ein Hund wäre, wüsste ich zu viel. Mats ist der Einzige, der keinen Geruch hat, er ist rein wie der Schnee. Mein Hund ist groß und schön, und er gehorcht mir. Er mag mich nicht. Wir respektieren einander.

Ich respektiere das geheime Hundeleben, das Geheimnisvolle der großen Hunde, die noch etwas von ihrer natürlichen Wildheit behalten haben, aber ich traue ihnen nicht. Wie kann man es nur wagen, den großen, beobachtenden Hunden zu trauen; die meisten Menschen dichten ihren Tieren etwas an, was sie als fast menschliche Eigenschaften bezeichnen, das heißt edle, liebenswerte Eigenschaften. Der Hund ist stumm, er gehorcht, aber er hat uns beobachtet, er kennt uns und hat unsere Erbärmlichkeit schon längst gewittert. Angesichts der unglaublichen Tatsache, dass unsere Hunde uns immer noch folgen und gehorchen, müssten wir verblüfft, ergriffen, überwältigt sein. Vielleicht verachten sie uns. Vielleicht verzeihen sie uns. Oder vielleicht gefällt es ihnen, keine Verantwortung tragen zu müssen. Wir werden es nie wissen. Vielleicht sehen sie in uns eine Art fatales Geschlecht aus verwachsenen, falsch konstruierten Geschöpfen, ähnlich wie riesige, schwerfällige Käfer. Auf jeden Fall keine Götter, die Hunde müssen uns durchschaut haben, und jetzt besitzen sie eine vernichtende Einsicht, die nur durch tausendjährigen Gehorsam in Schach gehalten wird. Warum fürchten sich die Menschen nicht vor ihren Hunden? Wie lange kann ein ehemals wildes Tier seine Wildheit verleugnen? Sie idealisieren ihre Tiere, und gleichzeitig dulden sie voll nachsichtiger Herablassung das natürliche Hundeleben: sich nach Flöhen kratzen, einen verfaulten Knochen vergraben, sich in einem Abfallhaufen wälzen, die ganze Nacht lang einen leeren Baum anbellen ... und sie selbst, tun sie denn etwas anderes? Sie vergraben etwas und lassen es im Verborgenen verfaulen, dann holen sie es wieder heraus und vergraben es wieder und lärmen unter leeren Bäumen – und das, worin sie sich wälzen ... nein. Ich und mein Hund, wir verachten sie.

Der Hund hatte sich erhoben, er wartete neben der Tür. Sie gingen die Treppe hinunter und durchquerten den Laden, im Flur zog Katri ihre Stiefel an, und die ganze Zeit rotierten ihre bedrohlichen Nachtgedanken weiter, ohne dass von irgendwoher Hilfe kam. Als sie in die Kälte hinaustrat und still stehen blieb, um die Reinheit des Winters einzuatmen, sah sie aus wie ein langes schwarzes Standbild, den unzugänglichen Hund dicht, wie angewachsen, an ihrer Seite. Er war nie an der Leine. Die Kinder verstummten und stapften durch den Schnee davon, hinter der nächsten Ecke schrien sie weiter und begannen sich zu prügeln. Katri ging an ihnen vorbei, zum Leuchtturm hinaus. Liljeberg hatte Gasflaschen zum Leuchtturm hinausgefahren, aber die Spur war fast schon zugeschneit. Kurz vor der Landzunge blies der Nordwestwind direkt vom Meer herein, hier war die Abzweigung, die zum Haus des alten Fräuleins Anna Aemelin hinaufführte. Katri blieb stehen, und der Hund erstarrte augenblicklich regungslos neben ihr. Auf der Windseite waren beide weiß vor Schnee, der langsam in ihren Pelz hineinschmolz. Katri betrachtete das Haus wie schon so oft, wie jeden Morgen auf dem Weg zum Leuchtturm. Dort oben wohnte Anna Aemelin, allein mit sich selbst, allein mit all ihrem Geld. Während des ganzen langen Winters ließ sie sich fast nie blicken; das, was sie brauchte, ließ sie sich durch den Kaufmann schicken, und einmal die Woche kam Frau Sundblom, um sauberzumachen. Zu Beginn des Frühjahrs dagegen konnte man Anna Aemelins hellen Mantel am Waldrand aufleuchten sehen, wo sie sich sehr langsam zwischen den Bäumen bewegte. Fräulein Aemelins Eltern hatten lange gelebt und immer darauf bestanden, dass in ihrem Wald nichts gefällt werden durfte. Bei ihrem Tod waren sie steinreich gewesen. Und der Wald durfte immer noch nicht angerührt werden. Nach und nach war er fast undurchdringlich geworden, bis er jetzt wie eine Mauer hinter dem Haus stand, dem Kaninchenhaus, wie es im Dorf genannt wurde. Das Haus war eine graue Holzvilla mit weißen, verschnörkelten Fensterrahmen, es war ebenso grauweiß wie der grauweiße Hintergrund aus schneegetränktem Wald. Das Gebäude erinnerte tatsächlich an ein großes, geducktes Kaninchen – die viereckigen Vorderzähne der weißen Verandavorhänge, die dummen Bogenfenster unter den Augenbrauen aus Schnee und die wachsamen Schornsteinohren. Alle Fenster waren dunkel. Der Weg hinauf war nicht geräumt.

Dort wohnt sie. Dort werden Mats und ich auch wohnen. Aber ich muss warten. Ich muss sehr sorgfältig überlegen, bevor ich dieser Anna Aemelin einen entscheidenden Platz in meinem Leben einräume.

2

Anna Aemelin konnte vielleicht als liebe und gutmütige Person bezeichnet werden, da sie noch niemals gezwungen worden war, Bosheit zu zeigen, und da sie eine ungewöhnliche Fähigkeit hatte, unangenehme Dinge zu vergessen, sie schüttelte sie einfach ab und machte auf ihre eigene unbestimmte und zugleich hartnäckige Art weiter. Eigentlich war sie erschreckend in ihrem verwöhnten Wohlwollen, aber bisher hatte niemand die Gelegenheit gehabt, dies zu merken. Die zufälligen Gäste, die sich zu spärlichen, kurzen Besuchen in der Kaninchenvilla einfanden, wurden mit einer zerstreuten Höflichkeit abgefertigt, die ihnen das Gefühl einflößte, einer Art kleinerem Denkmal ihre Aufwartung gemacht zu haben. Diese Haltung diente Anna nicht als Schutz, es wäre auch nicht richtig gewesen zu behaupten, dass sie kein eigenes Gesicht besaß; es war ganz einfach so, dass sie nur dann wirklich lebte, wenn sie sich ihrer seltsamen Begabung des Abbildens widmen konnte, und wenn sie abbildete, war sie naturgemäß immer allein. Anna Aemelin besaß die große, überzeugende Kraft der Einspurigen, die nur eine einzige Sache sehen und umfassen können, ausschließlich an einer einzigen Sache interessiert sind. Und dieses Einzige war der Waldboden, der Boden des Waldes. Anna Aemelin konnte den Waldboden so detailliert genau abbilden, dass nicht die geringste Tannennadel verloren ging.
Ihre Aquarelle waren klein und unerbittlich naturalistisch, und sie waren ebenso schön wie der federnde Boden aus Moos und

spröder Vegetation, auf dem man in dichtem Wald geht, ohne ihn eigentlich je wirklich zu betrachten. Anna Aemelin brachte die Leute zum Sehen, sie sahen die Idee des Waldes, sie erinnerten sich und empfanden einen Augenblick lang eine milde Sehnsucht, ein durchaus angenehmes und hoffnungsvolles Gefühl. Nur schade, dass Anna ihre Bilder dadurch störte, dass sie Kaninchen in sie hineinsetzte, das heißt, den Kaninchenvater, die Kaninchenmutter und das Kaninchenkind. Dass die Kaninchen außerdem noch geblümt waren, beeinträchtigte die Waldesmystik noch zusätzlich. Die Kaninchen waren irgendwann einmal auf der Kinderbuchseite beanstandet worden, das hatte Anna gekränkt und verunsichert, aber was sollte sie tun, die Kaninchen mussten um der Kinder und des Verlages willen dabei sein. Ungefähr alle zwei Jahre pflegte ein neues kleines Büchlein zu erscheinen. Den Text dazu lieferte der Verlag. Manchmal bekam Anna Lust, ausschließlich den Boden abzubilden, niedrige Pflanzen, Baumwurzeln, immer genauer und in immer kleinerem Maßstab, so nah und tief drinnen im Moos, dass die braune und grüne Miniaturwelt zu einem von Insekten bevölkerten riesigen Dschungel würde. Man hätte sich anstelle der Kaninchen auch eine Ameisenfamilie vorstellen können, doch dafür war es jetzt natürlich zu spät. Anna schob das Bild von der leeren, befreiten Landschaft beiseite. Jetzt war Winter, und sie arbeitete sowieso nie, bevor der erste nackte Fleck Erde wieder auftauchte. Während sie auf diesen Moment wartete, schrieb sie Briefe an sehr kleine Kinder, die sie stets danach fragten, wie es komme, dass die Kaninchen geblümt seien.

Doch an dem Tag, als die eigentliche Geschichte von Anna und Katri begann, schrieb Anna keine Briefe; sie saß in ihrem Salon und las *Jimmys Abenteuer in Afrika*, ein sehr unterhaltendes Buch. Im letzten Buch war Jimmy in Alaska gewesen.

Annas geräumige, niedrige Zimmer sahen schön aus im Schneelicht – die weißblauen Kachelöfen, die hellen Möbel, die sparsam an den Wänden entlang verteilt standen und sich im Par-
kettboden spiegelten, den Frau Sundblom einmal wöchentlich
zu bohnern pflegte. Papa hatte immer sehr viel Platz um sich
herum gebraucht, er war sehr groß gewesen. Und er hatte Blau
besonders gern gehabt, eine vorsichtige blaue Farbe, die überall
vertreten war und mit den Jahren immer blasser wurde. Eine
tiefe Heiterkeit ruhte über dem Kaninchenhaus, ein Stempel der
Endgültigkeit.
Gegen Nachmittag legte Anna ihr Buch weg und beschloss, im
Laden anzurufen, etwas, das ihr sehr zuwider war. Die Leitung
war belegt, daher setzte sie sich ans Verandafenster, um zu warten. Draußen auf der Sommerveranda lag die große Schneewehe, die der Nordwestwind in einer kühnen Kurve hinaufgeweht
hatte, verspielt und doch straff. Wie ein leichter, durchsichtiger
Fächer wirbelte der Schnee über der messerscharfen Kammlinie.
Jeden Winter entstand die gleiche Linie, und jedes Mal war die
Schneewehe gleich schön. Aber die Schneewehe war zu groß und
zu einfach, Anna konnte sie nicht wahrnehmen. Sie rief wieder
an, und diesmal antwortete der Kaufmann.
Ob Liljeberg schon zurück sei? Sie habe vergessen, Butter und
Erbsensuppe zu bestellen, nicht die große Sorte, eine kleine
Dose. Der Kaufmann hörte nicht, was sie sagte, er erklärte, die
Straße sei immer noch nicht geräumt, daher könne das Postauto
nicht fahren, aber Liljeberg sei diesmal mit Skiern in den Markt-
flecken gefahren und werde die Post mitbringen und außerdem
noch frische Leber …
»Ich verstehe Sie nicht!«, rief Anna Aemelin. »Wessen Leben?
Ist etwas passiert?«
»Leber«, wiederholte der Kaufmann. »Liljeberg bringt frische

Leber mit, ich werde Ihnen ein besonders schönes Stück beiseitelegen, Fräulein Aemelin ...« Und dann verschwand seine Stimme im Schneewetter, wahrscheinlich war die Leitung wieder einmal irgendwo unterbrochen. Anna schob die Außenwelt von sich weg und kehrte erleichtert zu ihrem Buch zurück. Eigentlich machte sie sich nicht besonders viel aus Erbsensuppe. Und aus Post auch nicht.

Als Edvard Liljeberg aus dem Marktflecken zurückgekommen war und die Skier abgeschnallt hatte, ließ er den Rucksack schwer auf die Ladentreppe fallen, das Kreuz tat ihm weh, und er hatte keine Lust, mit irgendjemandem zu reden. Die Waren des Kaufmanns kippte er in einen Pappkarton, den er dann in den Laden hineintrug. Der größte Teil des Inhalts war nass vom Schnee.

»Das hat aber ganz schön gedauert«, sagte der Kaufmann; er stand untätig hinter der Ladentheke herum und war immer noch ärgerlich, weil er keine Verkäuferin mehr hatte.

Liljeberg antwortete nicht, sondern ging wieder hinaus und begann auf dem Flurtisch die Post zu sortieren. Katri Kling hatte ihn durch ihr Fenster kommen sehen, jetzt stand sie plötzlich im Flur und schaute ihm über die Schulter, sie hatte ihre übliche Zigarette im Mund, musterte die Post mit zusammengekniffenen Augen durch den Rauch und sagte:»Das da sind Aemelins Briefe.« Sie waren leicht zu erkennen, die meisten waren mit Blumen dekoriert und kamen von sehr kleinen Kindern. Katri fuhr fort: »Willst du ihr die Post jetzt gleich hinausbringen?«

»Man wird ja wohl noch verschnaufen dürfen«, sagte Liljeberg.

»Hier im Dorf Postbote sein ist kein Kinderspiel.«

Sie hätte wenigstens sagen können, bei diesem Wetter sei es bestimmt kein Vergnügen, auf Skiern unterwegs zu sein, oder ob man denn die Straße überhaupt noch sehe, oder es wäre wirklich an der Zeit, dass der Schneepflug komme, irgendetwas, das Interesse verriet oder wenigstens so tat, als verriete es Interesse, so wie die Leute eben reden, um alles ein bisschen netter zu machen, aber nein, woher denn, Katri Kling doch nicht. Sie stand da und kniff die Augen im Zigarettenrauch zusammen, das schwarze Haar wie eine verhüllende Mähne vor dem Gesicht, als sie sich über den Tisch vorbeugte; wegen der Kälte hatte sie sich eine Decke um die Schultern gelegt, die sie mit beiden Händen festhielt – sie sieht tatsächlich aus wie eine Hexe, dachte Edvard Liljeberg.

Sie sagte: »Ich kann der Aemelin die Post hinausbringen.«

»Das geht eigentlich nicht, der Postbote trägt die Post aus. Das ist Vertrauenssache, sozusagen.«

Katri hob das Gesicht und sah ihn mit geöffneten Augen an, im harten Flurlicht waren sie tatsächlich gelb.

»Vertrauen«, sagte sie, »hast du Vertrauen zu mir?« Sie wartete noch etwas und wiederholte dann: »Ich kann der Aemelin die Post hinausbringen. Es ist wichtig für mich.«

»Willst du mir etwa helfen?«

»Du weißt genau, dass ich das nicht will«, antwortete Katri. »Das tue ich ausschließlich für mich. Hast du Vertrauen zu mir oder nicht?«

Hinterher dachte Liljeberg, sie hätte es wenigstens damit begründen können, dass sie ja ohnehin mit dem Hund hinausmüsse, das wäre doch einfach gewesen. Katri Kling war auf jeden Fall ehrlich, das musste man zugeben.

Anna rief noch einmal an. »Jetzt verstehe ich Sie besser«, sagte der Kaufmann. »Eine kleine Dose Erbsen und Butter. Liljeberg hat inzwischen die Post und die Leber gebracht, die Leber ist ganz frisch, direkt aus dem Magen, sozusagen! Ich habe extra ein Stück für Sie auf die Seite gelegt, aber diesmal bringt nicht

Liljeberg es vorbei, sondern Kling, ich glaube, sie muss sowieso in die Richtung.«

»Wer?«

»Sie war früher hier Verkäuferin. Katri Kling. Sie bringt die Leber gleich hinaus.«

»Aber Leber«, wandte Anna Aemelin ein und wurde ganz matt, »das sieht doch so scheußlich aus und lässt sich so schwer zubereiten ... Aber da Sie so freundlich waren und es extra für mich auf die Seite gelegt haben ... Dieses Fräulein – wie hieß sie doch gleich, Kling? Weiß sie, dass man den Kücheneingang benützen muss?«

Und dann begann die Leitung wieder zu heulen, wie immer im Winter. Anna blieb stehen und lauschte noch eine Zeit lang, dann ging sie in die Küche hinaus und stellte Kaffeewasser auf.

Als die Dämmerung fiel, kam Mats vom Bootsbau nach Hause. Im Winter arbeiteten die Männer in Västerby nur bei milder Witterung an ihren Booten, um Heizmaterial zu sparen, und der Bootsschuppen wurde vor Einbruch der Dunkelheit geschlossen, sie waren sehr sparsam. Mats ging immer als Letzter.

»Soso, haben sie dich schließlich doch hinausgebracht«, sagte der Kaufmann. »Wenn du dürftest, würdest du wohl noch im Dunkeln mit deinem Sandpapier herumschmirgeln.«

»Wir sind gerade bei der Beplankung«, antwortete Mats. »Ich hätte gern eine Cola, auf Rechnung, bitte.«

»Selbstverständlich, sofort! Zu schade, dass deine liebe Schwester dich nicht mehr bedienen will, sie war so eine flinke Verkäuferin. Aha, Beplankung also. Was du nicht sagst. Eine Beplankung schaffst du also auch. Wer hätte das gedacht.«

Mats nickte, ohne zuzuhören, er blieb an der Ladentheke stehen und trank langsam seine Cola aus. In dem kleinen, überfüllten

Raum wirkte er sehr groß und lang. Seine Haare waren ebenfalls lang, viel zu lang, und genauso pechschwarz wie die seiner Schwester. Solche Haare hatten die Hiesigen nicht. Er schien vergessen zu haben, dass er nicht allein war. Aber als Katri die Treppe herunterkam, drehte er sich um, und die beiden Geschwister sandten einander ein unmerkliches Nicken zu, das Signal einer Gemeinschaft, die nur sie beide teilten. Der Hund legte sich neben die Tür, um zu warten.

»Ich habe gehört, Sie bringen die Post zur Kaninchenvilla hinaus«, sagte der Kaufmann. »Hier sind die Waren. Seien Sie vorsichtig mit der Leber, damit sie nicht ausläuft.«

»Sie mag keine Leber«, sagte Katri. »Und das wissen Sie. Vor einiger Zeit hat sie Frau Sundblom die Blutwurst mitgegeben.«

»Leber ist keine Blutwurst. Und übrigens hat sie sie bestellt. Und vergessen Sie nicht, den Mücheneingang zu benützen. Damit nimmt es die alte Aemelin sehr genau.«

Ihr Wortwechsel verlief gedämpft und voller Feindseligkeit, sie waren wie zwei wachsame Tiere, zum offenen Angriff bereit.

Er vergisst nicht, die Sache damals hat er mir nicht verziehen, dieser kleine Händler. Seine Begierde war lächerlich, und das habe ich ihn fühlen lassen. Ich war unsachlich. Jedes Mal, wenn ich nicht sachlich bin, gerät die Situation außer Kontrolle. Ich muss weg von hier.

Der Schnee war sehr blau in der beginnenden Dämmerung. Katri gab dem Hund ein Zeichen, bei der Abzweigung zu warten, und ging mit dem Wind im Rücken den völlig zugeschneiten Weg hinauf.

Anna Aemelin machte die Küchentür auf und sagte: »Fräulein Kling, wie lieb von Ihnen. Und bei diesem Wetter, das wäre wirklich nicht nötig gewesen ...«

Die Frau, die über die Schwelle trat, war lang und trug eine Art zottiges Fell. Sie lächelte nicht beim Grüßen.

Hier riecht es nach Unsicherheit. Hier ist es sehr lange sehr still gewesen. Sie sieht genauso aus, wie ich es mir vorgestellt hatte. Ein Kaninchen.

Anna wiederholte: »Ja, das mit der Post war wirklich lieb von Ihnen ... Ich meine, natürlich ist sie wichtig für mich, aber trotzdem ...«

Anna wartete einen Augenblick auf eine Erwiderung und fuhr dann fort: »Ich habe ein wenig Kaffee gemacht, Sie trinken doch einen Kaffee, nicht wahr?«

»Nein«, antwortete Katri freundlich, »ich trinke nie Kaffee.«

Anna sah sie erstaunt an, mehr verblüfft als gekränkt. Alle Menschen trinken Kaffee, wenn er ihnen angeboten wird, das gehört dazu, das tut man einfach der Gastgeberin zuliebe. Sie sagte: »Vielleicht ein Tässchen Tee?«

»Nein danke«, antwortete Katri Kling.

»Fräulein Kling«, bemerkte Anna recht kurz, »Sie können Ihre Stiefel neben die Tür stellen, die Teppiche vertragen kein Wasser.«

Jetzt gefällt sie mir besser. Lass sie zu einem Gegner werden, lass mich mit Widerstand kämpfen, amen.

Sie gingen in den Salon.

Ich hätte mir eines von ihren Büchern besorgen sollen. Nein, das konnte ich nicht, das wäre nicht ehrlich gewesen.

»Manchmal«, begann Anna Aemelin Konversation zu machen, »manchmal stelle ich mir vor, dass ein Teppichboden hier drin ganz hübsch aussehen könnte. Irgendetwas Helles, sehr Weiches. Meinen Sie nicht auch, Fräulein Kling?«

»Nein. Das wäre schade um den schönen Fußboden.«

Natürlich will sie einen wolligen Boden haben. Teppichboden oder nicht, hier drin ist es trotzdem wie behaart, heiß und haarig. Vielleicht ist es im Obergeschoss luftiger. Nachts muss das Fenster angelehnt sein, sonst kann Mats nicht schlafen.

Anna Aemelin hatte ihre Brille an einer dünnen Kette um den Hals hängen; jetzt nahm sie sie, hauchte die Gläser an und begann sie mit einem Zipfel der Tischdecke zu polieren. Vermutlich waren sie voller Haare.

»Fräulein Aemelin, haben Sie jemals Kaninchen gehabt?«

»Bitte?«

»Haben Sie Kaninchen gehabt?«

»Nein, wieso … Liljebergs haben Kaninchen, aber das sollen ja angeblich ziemlich lästige Tiere sein …« Anna antwortete automatisch auf ihre eigene unbestimmte Art, ohne die Stimme abschließend zu senken, sie machte eine Geste zur Kaffeekanne hinüber, und dann fiel es ihr wieder ein: Dieser Gast wollte ihren Kaffee ja nicht trinken. Mit plötzlicher Schärfe fragte sie: »Und warum, Fräulein Kling, warum sollte ich Kaninchen haben? Haben Sie Kaninchen?«

»Nein. Ich habe einen Hund. Einen Schäferhund.«

»Ein Hund?«, Annas Aufmerksamkeit schweifte ab, »mit Hunden weiß man nie …«

Der unberührte Kaffeetisch störte die Gastgeberin, sie stand auf und bemerkte, dass sie mehr Licht brauchten, es dämmere schon wieder, sie machte eine Lampe nach der anderen an, mild abgeschirmte Lichtquellen, danach schlug sie vor, dass Katri ein Autogramm mit nach Hause nehmen könne. Anna hatte eine sehr schöne Handschrift. Als sie ihren Namen geschrieben hatte, begann sie wie üblich, die Ohren des Kaninchens zu zeichnen, doch dann besann sie sich und nahm ein neues Stück Papier. Katri war in die Küche gegangen und hatte die Post auf den Küchentisch und die Lebensmittel auf den Spültisch gelegt. Aus dem Paket mit der Leber rann rosafarbener Saft heraus.

»Ach, wie scheußlich«, sagte Anna hinter ihr, »ist das etwa Blut, ich kann kein Blut sehen …«

»Lassen Sie nur, ich räume es weg.«

Aber Anna hatte das Paket schon geöffnet, und dort lag die Leber nun, entblößt, braunrot und geschwollen von Blut, mit kleinen weißen Adern, die sich durchs Fleisch zogen. Sie erblasste.

»Fräulein Aemelin, ich gebe die Leber meinem Hund. Ich schaffe sie weg. Und jetzt muss ich gehen.«

Anna begann hastig zu erklären, sie habe sich immer vor Sachen gefürchtet, die zu riechen anfangen könnten, man lege sie weg und vergesse sie, und dann begännen sie zu riechen, und dann diese ständige Unruhe, dass die Lebensmittel schlecht werden könnten und man sie dann wegwerfen müsse … So wie es heutzutage in der Welt aussehe, dürfe man schließlich keine Lebensmittel wegwerfen …

»Ich verstehe«, sagte Katri, »man räumt etwas weg, und dann fängt es an zu riechen. Warum lassen Sie die Sachen, die zu riechen anfangen können, nicht einfach weg? Wenn Sie Innereien verabscheuen, dann sagen Sie doch, dass Sie sie verabscheuen. Warum bestellen Sie überhaupt Leber?«

»Das war doch nicht ich, das war er! Und da er schon mal so freundlich war und sie extra für mich auf die Seite gelegt hatte …«

»Der Kaufmann«, äußerte Katri langsam, »der Kaufmann, und das sollten Sie sich merken, ist nicht freundlich. Er ist ein sehr boshafter Mensch. Er weiß, dass Sie vor Leber Angst haben.«

Draußen auf dem Hinterhof zündete sich Katri eine Zigarette an. Die Dunkelheit kam jetzt sehr rasch.

Anna Aemelin eilte ans Verandafenster und sah ihren Gast den Weg hinuntergehen, eine lange schwarze Gestalt, und unten auf der Landstraße wurden es zwei Silhouetten, als wäre ein großer Wolf aus der Dämmerung herausgekommen, um sich der Frau anzuschließen. Dicht nebeneinander gingen sie zum Dorf zurück. Mit einem unbestimmten Angstgefühl blieb Anna am Fenster stehen. Ein Tässchen Kaffee wäre jetzt eigentlich ganz schön ... aber plötzlich hatte Anna keine Lust mehr darauf. Es war nur eine ganz kleine, aber entscheidende Einsicht – sie mochte keinen Kaffee und hatte eigentlich nie Kaffee gemocht.

3

Als Katri nach Hause kam, setzte sie sich aufs Bett, ohne ihren Mantel auszuziehen, sie war sehr müde. Was war gewonnen, wie viel verloren? Die erste Begegnung war so unerhört wichtig. Katri schloss die Augen und versuchte von dem, was geschehen war, ein klares Bild zu gewinnen, doch das wollte ihr nicht gelingen, das Bild entglitt ihr, es wurde ebenso weich und diffus wie Anna Aemelin selbst, wie ihre abgeschirmten Lampen und unpersönlich harmonischen Zimmer und ihre tastende Art, sich zu unterhalten. Aber die Leber auf dem Spültisch, die war handgreiflich, die war wirklich. Habe ich die Leber um ihretwillen weggenommen? Nein. Um meinetwillen, um einen guten Eindruck zu machen? Nein, nein, das glaube ich nicht. Es war ganz einfach eine praktische Tat, auf dem Tisch lag etwas Blutiges, das ihr Angst machte, und das musste fort. Ich bin nicht hinterhältig, nicht unehrlich gewesen. Aber man kann nie wissen, nie kann man mit letzter Sicherheit wissen, dass man nicht doch eine Art verächtlicher Schmeichelei, Anbiederung, Adjektive, die nicht so gemeint waren, benützt hat, diese ganze ekelhafte Gewohnheitsmaschinerie, die überall und die ganze Zeit schlaff und ungestraft abläuft, um das, was man haben will, zu erreichen, vielleicht einen Vorteil, oder nicht einmal das, meistens nur, weil es dazugehört, sich so liebenswürdig wie möglich zu zeigen und sich ungeschoren aus der Affäre zu ziehen ... Nein, ich glaube nicht, dass ich mich besonders liebenswürdig gezeigt habe. Diese Runde ist verloren. Aber wenigstens war es ein ehrliches Spiel.

Mats hatte neue Zeichnungen gemacht, wie immer lagen sie offen auf dem Tisch. Er sprach nie über seine Bootsmodelle, aber er wollte, dass Katri sie anschaute. Er benützte stets das gleiche blau karierte Papier, das die Maßstabberechnungen erleichterte, und das Boot war dasselbe, ziemlich groß, mit eingebautem Motor und Kajüte. Katri sah, dass er den Sprung geändert hatte. Und die Kajüte war jetzt niedriger. Aufmerksam sah sie seine Aufzeichnungen durch, die Preise für Material, Motor, Arbeitszeit, alles Fakten, die sie kontrollieren musste, um sicherzugehen, dass er nicht übers Ohr gehauen wurde. Die Zeichnungen waren sehr schön ausgeführt. Und sie stellten nicht nur einen Bubentraum von einem Boot dar, sondern waren sachlich gute Arbeit. Katri spürte, dass lange, geduldige Beobachtung dahintersteckte, jene Liebe und Sorgfalt, die man einer einzigen, einer alles überflügelnden Idee widmet.

Im Marktflecken hatte Katri für Mats Bücher ausgeliehen, alles, was die Bücherei über Boote und Bootskonstruktion hatte, und außerdem Erzählungen über die großen Abenteuer auf See, vor allem Jungenbücher. Gleichzeitig versuchte Katri ihren Bruder, beinahe entschuldigend, dazu zu bringen, das, was sie als gute Literatur bezeichnete, zu lesen.

»Ich lese die Bücher ja«, erklärte Mats, »aber sie sagen mir nichts. Da passiert so wenig. Ich verstehe, dass sie sehr gut sind, aber sie machen mich nur traurig. Sie handeln beinahe immer von Leuten, die es schwer haben.«

»Aber deine Seeleute, deine Schiffbrüchigen? Die haben es doch auch schwer?«

Mats schüttelte den Kopf und lächelte, er erklärte: »Das ist anders. Und außerdem reden sie nicht so viel, weißt du.«

Aber Katri gab nicht auf. Wenn Mats vier von seinen eigenen Büchern gelesen hatte, musste er zusätzlich eines von ihren lesen, nur ein einziges. Sie befürchtete, ihr Bruder könnte sich sonst in einer Welt verlieren, in der die Schlechtigkeit des Daseins durch verlogen heitere Abenteuer verdeckt wurde.

Mats las Katris Bücher, um ihr eine Freude zu machen, aber er sprach nicht darüber. Anfangs fragte sie noch, und da antwortete er immer: »Es war bestimmt sehr gut.« Also hörte sie auf zu fragen.

Sie sprachen selten miteinander. Sie besaßen ein gemeinsames Schweigen voll ruhiger Selbstverständlichkeit.

Es war schon ziemlich lange dunkel, als Mats nach Hause kam. Er war wohl bei Liljebergs gewesen. Das sah Katri nicht gern. Dauernd lief er, in der Hoffnung, dass sie über Boote sprechen würden, hinter den Liljebergs her. Sie waren freundlich zu Mats, so wie man zu einem Haustier freundlich ist, er durfte dabei sein, aber er zählte nicht. Katri stellte das Essen auf den Tisch, dann begannen sie auf ihre übliche Art zu essen, jeder mit seinem Buch. Diese lesenden Mahlzeiten waren sonst immer die ruhigsten Stunden des Tages, von einem vollkommenen, gesegneten Frieden erfüllt. Aber heute Abend konnte Katri nicht lesen, immer wieder kehrte sie in Anna Aemelins Haus zurück, und immer wieder verließ sie es im Gefühl der Niederlage. Sie hatte alles für Mats zerstört. Katri hob den Blick von dem Buch, das sie nicht mehr verstand, und sah ihren Bruder an. Die Lampe zwischen ihnen hatte einen durchbrochenen Schirm, sodass das Licht in einem leichten Netzwerk aus Licht und Schatten auf sein Gesicht fiel, sie musste an Laubschatten auf einer Wiese denken oder an Sonnenreflexe auf sandigem Meeresboden.

Niemand außer Katri war imstande zu sehen, wie schön er war. Plötzlich verspürte sie eine überwältigende Lust, mit ihrem Bruder über die bittere Zielsetzung zu sprechen, die stets in ihren Gedanken war, ihren Ehrbegriff klarzulegen, sich zu verteidigen, nein, nicht verteidigen, nur erklären, über all das zu reden, worüber sie nur mit Mats sprechen konnte, mit jedem anderen Menschen wäre es undenkbar gewesen.

Aber ich kann es nicht. Mats hat keine Geheimnisse. Das macht ihn ja so geheimnisvoll. Niemand darf ihn stören, er muss ungestört in einer vereinfachten und reinen Welt bleiben dürfen. Und vielleicht würde er es gar nicht verstehen, sondern sich nur Sorgen machen und glauben, ich hätte es schwer. Und was würde ich überhaupt klarlegen ... Ich weiß doch, um was es geht. Es geht darum, das, was ich mir nehmen will, völlig offen zu nehmen, und dabei so ehrlich wie möglich zu kämpfen.

Mats hob den Blick von seinem Buch und fragte: »Was ist?«

»Nichts. Ist das Buch spannend?«

»Ja«, antwortete Mats, »ich bin jetzt bei der Seeschlacht.«

4

Abends war es sehr still im Dorf, nur ein vereinzelter Köter, der ab und zu bellte. Alle waren zu Hause und aßen zu Abend, überall leuchtete es aus ihren Fenstern. Und es schneite, wie üblich. Die Hausdächer hatten schwere Überhänge aus Schnee, die im Laufe des Tages aufgetrampelten Wege wurden wieder weiß, und links und rechts davon wuchsen die weißen kompakten Wälle immer höher. Im Inneren der Schneewälle, mit tiefen, schmalen Gängen verbunden, lagen die Höhlen, die die Kinder sich bei jedem neuen Tauwetter gegraben hatten. Und davor standen ihre Schneemänner und Schneepferde, unförmige Gestalten mit Zähnen und Augen aus Blechstücken und Kohlen. Wenn es wieder zu frieren begann, leerten sie Wasser über ihre Schneefiguren, sodass sie zu hartem Eis wurden.

Eines Tages war Katri vor einem der Kinderwerke stehen geblieben, um festzustellen, dass es sie selbst darstellte. Für die Augen hatten sie gelbliche Glasscherben gefunden, sie hatten ihr eine alte Pelzmütze aufgesetzt, der schmale Mund und die gerade, steife Haltung waren gut getroffen. Ein großer Hund war an die Frau aus Schnee angewachsen. Er war zwar nicht besonders gut gelungen, aber man konnte sehen, dass die Kinder einen Hund im Sinn gehabt hatten, einen bedrohlichen Hund. Und dort, sehr klein, ein Zwerg in den Röcken der Frau, duckte sich eine Figur mit einem roten Topflappen auf dem Kopf. Mats trug im Winter immer eine rote Wollmütze. Katri zertrat die kleine Figur, und als sie nach Hause kam, warf sie die Mütze ihres Bruders in den

Herd und strickte ihm eine neue, eine blaue: Von der Karikatur der Kinder behielt Katri ein einziges, grimmig geschätztes Erinnerungsstück zurück, das Blatt Papier voller Zahlen, das mit einem Holzspan in das Herz der Schneefrau festgebohrt gewesen war. Trotz allem hatte ihr das Dorf so seinen Respekt gezollt. Die Kinder hatten auf das allgemeine Gerede gehört und wussten, dass sie rechnen konnte. Sie wussten, dass ihr Herz von Zahlen durchbohrt war.

Seit Jahren kamen die Dorfbewohner zu Katri und baten sie um Hilfe, wenn sie etwas nicht selbst ausrechnen konnten. Die schwierigsten Berechnungen und alle Fragen, die mit Prozenten zu tun hatten, bewältigte Katri mit vollendeter Leichtigkeit, die Summen kamen an ihren Platz und stimmten jedes Mal.

Es hatte damit begonnen, dass Katri die Bestellungen und Bezahlungen des Kaufmanns betreute, bei dieser Gelegenheit wurde bekannt, dass sie einen guten Kopf für Zahlen hatte und Scharfblick besaß; sie hatte gleich etliche Lieferanten im Marktflecken bei Betrügereien ertappt.

Später erwischte sie auch den Kaufmann dabei, doch das erfuhr niemand. Wie dem auch sei, Katri Kling besaß außerdem noch einen untrüglichen Sinn für die gerechte Verteilung von Geldbeträgen und für eindeutige Lösungen von kniffligen Fällen, die eine andere Art von Mathematik erforderten. Die Dorfbewohner begannen mit ihren Steuererklärungen zu ihr zu kommen, oder um über Kaufverträge, Testamente und Grundstücksfragen zu sprechen. Im Marktflecken gab es zwar einen Anwalt, aber sie vertrauten Katri mehr, und überhaupt, warum sollte man sein Geld an einen Anwalt vergeuden.

»Geben Sie ihnen die Wiese«, sagte Katri. »Sie können ja sowieso nichts damit anfangen, die taugt ja nicht einmal als Weideland. Aber schreiben Sie lieber in den Vertrag, dass die Wiese nicht bebaut werden darf, sonst haben Sie die Leute früher oder später vor der Nase. Und Sie können sie ja nicht leiden.«

Dem Gegner sagte sie, die Wiese sei wertlos, aber wenn es eine Prestigefrage sei, könnten sie sich ja einen Zaun und das Schild »Zutritt verboten« leisten und den Zaun ein Stück weit vorrücken, damit sie die Gören der Nachbarn nicht dauernd in den Ohren hätten.

Katris Ratschläge wurden allgemein im Dorf besprochen und für gut und sehr schlau gehalten. Katri ging davon aus, dass jede Familie eine feindselige Einstellung zu ihren Nachbarn hatte, und vielleicht war es das, was auf die Leute so besonders überzeugend wirkte. Aber oft folgte ein eigenartiges Gefühl der Beschämung auf diese Sitzungen bei Katri. Da sie stets gerecht war, war diese Reaktion gar nicht so leicht zu begreifen. Wie zum Beispiel diese Geschichte mit den zwei Familien, die sich seit Jahren schief angeguckt hatten. Katri half beiden, das Gesicht zu wahren, sprach dabei aber die gegenseitige Feindschaft offen aus, und die war nun für alle Zeiten festgelegt.

Katri klärte die Leute darüber auf, dass sie übers Ohr gehauen worden waren. Ihr Richterspruch in Sachen Husholms Emil erweckte allgemeine Heiterkeit. Emil hatte eine schwere Blutvergiftung bekommen, die kostspielig wurde und ihn lange Zeit an der Arbeit hinderte. Katri sagte dazu: »Dies ist ein Unfall in Ausübung des Berufs, der erfordert Schadenersatz. Die Arbeitgeber müssen in deinem Namen einen entsprechenden Antrag stellen.«

»Aber ganz so war es nicht«, wandte Emil ein, »das ist nicht während meiner Arbeit in der Bootswerft passiert, ich habe nur Kabeljau ausgenommen.«

Worauf sich Katri folgendermaßen äußerte: »Wann werdet ihr es endlich lernen! Eine Arbeit ist eine Arbeit, ein Kabeljau oder ein Stemmeisen, das läuft auf dasselbe hinaus. Dein Vater war doch Fischer, oder etwa nicht? Und er war bei der Fischereigesellschaft angestellt, nicht wahr? Wie oft hat er sich im Laufe seiner Arbeit verletzt?«

»Ab und zu wohl.«

»Natürlich. Und nie bekam er eine Entschädigung. Bestimmt ist er viel häufiger vom Staat betrogen worden, als er wusste, also seid ihr jetzt quitt.«

Für Katri Klings Scharfblick ließen sich noch viele Beispiele anführen. Auf ihre eigene Art stimmte alles. Wenn jemand daran zweifelte und kleinmütig um seine wichtigen Papiere besorgt war, konnte er es ja beim Anwalt im Marktflecken nachprüfen lassen. Der hatte Katris Urteil bisher noch nie infrage gestellt. Er sagte nur: »Was ist das bloß für eine kluge Hexe, die ihr bei euch drüben habt? Wo hat sie das alles gelernt?«

Anfangs war es vorgekommen, dass die Leute für Katris Dienste bezahlen wollten, doch da war sie so unwirsch geworden, dass mit der Zeit niemand mehr von einer Vergütung zu sprechen wagte. Eigenartig war nur, dass ausgerechnet die Person, die so viel von den Schwierigkeiten der Menschen mit dem Nichtalltäglichen verstand, so gar nicht mit den Menschen selbst zurechtkam. Katris Schweigen löste Unbehagen aus, sie antwortete zwar auf direkte Fragen, redete selbst aber nie. Und das Schlimmste war, dass sie die anderen nicht anlächelte, wenn sie sich begegneten, dass sie keinerlei Ermunterung und nicht die geringste Hilfestellung gab.

»Aber warum müsst ihr denn unbedingt hingehen?«, fragte die alte Nygårds-Wirtin. »Wenn ihr von ihr zurückkommt, seid ihr verändert. Zwar stehen eure Sachen dann dort, wo sie hingehören, aber ihr könnt an niemanden mehr glauben. Lasst sie lieber in Ruhe und versucht, nett zu ihrem Bruder zu sein.«

Ab und zu fragten die Leute zwar nach Mats, doch nicht einmal das konnte Katri dazu bewegen, umgänglicher zu werden, sie sah dann mit ihren schmalen gelben Augenschlitzen an den Leuten vorbei und antwortete, danke, gut, worauf der Frager unweigerlich mit dem Gefühl weiterging, betulich gewesen zu sein und nicht besonders viel zu taugen. Daher gewöhnten es sich die Leute an, nur noch ihre Anliegen vorzutragen und sich dann so schnell wie möglich zu verdrücken.

5

Der ständige Schneefall brachte eine undefinierbare Dunkelheit mit sich, die weder Abenddämmerung noch Morgengrauen
war und die Menschen bedrückte. Dinge, die man an und für
sich voller Freude hätte ausführen können, wurden so zu einem
Muss.

Edvard Liljeberg war winterdüster. Wenn die Arbeit im Bootsschuppen beendet war, blieb nichts zu tun übrig, als nach Hause
zu gehen, alle vier Brüder Liljeberg gingen vom Bootsbau nach
Hause, wo sie Essen kochten, dann hörten sie Radio, und die
Abende wurden sehr lang.

Edvard Liljeberg beschloss, den Lieferwagen zu überholen, das
munterte ihn immer auf. Wenn die Gemeinde sich dann endlich
dazu aufraffte, die Straße räumen zu lassen, wäre es ja nur
gut, den Motor in Ordnung zu haben. Früher hatte Edvard die
Schulkinder in den Marktflecken gefahren, es wurde nach Gewicht dafür bezahlt, aber jetzt gab es eine eigene Grundschule
im Dorf, und die älteren Kinder wurden zum größten Teil im
Marktflecken untergebracht, allzu viele waren es ohnehin nicht
mehr. Auf jeden Fall war der Lieferwagen für den Kaufmann
alles andere als ein Verlustgeschäft; die Behörden bezahlten für
den Transport der Gasflaschen zum Leuchtturm hinaus, für die
Post und außerdem das Benzin. Aber jedes Mal, wenn er Liljebergs Lohn ausrechnete, konnte der Kaufmann es sich nicht
verkneifen, ihm klarzumachen, wie schlau es von ihm sei, seine
Dienste der Gemeinde zur Verfügung zu stellen.

Wie dem auch sei, Edvard Liljeberg betrachtete den Lieferwagen mittlerweile als sein Eigentum. Ein grüner Volkswagen, das einzige Auto in Västerby.

Liljeberg machte das Licht in der Garage an und zog sich die Mütze über die Ohren, hier drin war es noch kälter als im Freien. Die Arbeit am Auto war seine Privatsache, hatte mit anderen Leuten nichts zu tun, aber der Junge war trotzdem wieder da, stand innerhalb der Tür und wartete und wartete, starrte Liljeberg an und flößte ihm ein schlechtes Gewissen ein. Haben deine Gewissensbisse mit ihm zu tun oder mit seiner Schwester? Was haben wir nur getan, dass wir die beiden hier im Dorf ertragen müssen? Was haben wir verbrochen, dass man uns nicht in Ruhe und Frieden lässt ...

Liljeberg fuhr herum und sagte: »Bist du schon wieder hier? Von Automotoren wirst du nie etwas verstehen!«

»Nein«, erwiderte Mats, »das weiß ich.«

»Bist du zum Holzhacken bei Nygårds gewesen?«

»Ja.«

»Was willst du? Willst du mir helfen?«

Mats antwortete nicht. Jedes Mal dasselbe. Der Junge huschte in die Garage herein und stand dann schweigend dort herum, bis sich bei Liljeberg die Nackenhaare zu sträuben begannen. Unfreundlich konnte er nicht sein, und auf die Arbeit konzentrieren konnte er sich auch nicht; alles war ein einziger Mist, daher sagte er nur: »Das hier sind schwierige Sachen, und jetzt gerade kann ich nicht sprechen.«

Mats Kling nickte und blieb stehen. Unglaublich, wie er seiner Schwester ähnelte, das gleiche flache Gesicht. Seine Augen waren allerdings blau. Irgendwie war die Schwester ständig anwesend, und der Bruder stand hinter ihr, und es war schlichtweg unerträglich, damit etwas zu tun zu haben.

Edvard Liljeberg wurde sehr müde, und schließlich sagte er: »Wenn du willst, kannst du hier drin ein bisschen aufräumen, vor lauter Gerümpel kommt man ja nicht an die eigentliche Arbeit.«

Der Junge begann irritierend langsam aufzuräumen, methodisch fing er in der hinteren Ecke an und arbeitete sich von dort aus nach vorn, er rückte und fegte und schob zusammen, beinahe lautlos, aber doch nicht ganz, wie wenn eine Ratte hinter der Wand rumort – Prasseln und dann Stille, Rascheln, Huschen und wieder Stille ... Liljeberg drehte sich um und rief: »Lass das! Komm her und stell dich dorthin, wo ich dich sehen kann. Ich repariere mein Auto, klar? Schau zu, was ich mache. Aber du wirst es ja doch nie richtig lernen, und ich werde nichts erklären. Sprich jetzt nicht mit mir.«

Mats nickte. Allmählich beruhigte sich Liljeberg wieder und vergaß seinen Zuschauer, er verzieh ihm sein Eindringen und brachte nach und nach den Automotor in Schuss.

Meistens hielt Mats sich jedoch unten im Bootsschuppen auf. In seiner unverbesserlichen Langsamkeit lag eine große Sorgfalt verborgen, man konnte ihm unbesorgt kleinere Arbeiten überlassen und sichergehen, dass das, was ihm anvertraut worden war, auch richtig ausgeführt wurde. Meistens vergaßen sie ganz, dass er da war. Die Brüder Liljeberg gaben Mats langweilige Aufgaben, wie versenkte Schraubenköpfe abdichten oder schleifen. Und dann auf einmal war Mats wieder verschwunden, ohne dass jemand sein Weggehen bemerkt hatte; vielleicht hatte er versprochen, bei irgendeinem Nachbarn das eine oder andere in Ordnung zu bringen, oder er war einfach in den Wald gegangen, um gar nichts zu tun. Das wusste man nie so genau.

Mats Kling hatte keine festen Arbeitszeiten, er kam und ging, wie es sich ergab, und daher konnte man ihm ja unmöglich einen Stundenlohn bezahlen. Ab und zu zahlten die Liljebergs ihm etwas, sozusagen nach Augenmaß, es war ziemlich wenig. In ihren Augen fasste er die Arbeit vor allem wie ein Spiel auf, und einem, der nur spielt, etwas zu bezahlen, war doch eigentlich unnötig. Manchmal blieb Mats längere Zeit verschwunden, und niemand wusste, wo er steckte, oder fragte danach.

Wenn die Kälte einsetzte, lohnte es sich nicht, weiterzubauen, der Bootsschuppen war nicht winterfest, und der Kamin schaffte es nicht einmal, die Kältestarre aus den Händen zu vertreiben. Liljebergs schlossen ab und gingen nach Hause. An der Rückseite jedoch, wo die Boote vom Stapel gelassen wurden, waren die großen Türen nur mit einem Haken versperrt, der sich leicht öffnen ließ. Mats begab sich dann zum Eislochangeln aufs Eis hinaus, und wenn der Strand menschenleer war, ging er zurück, in den Bootsschuppen hinein. Manchmal setzte er dort seine Arbeit fort, meist irgendwelche Kleinigkeiten, so unbedeutend, dass niemand es merkte, wenn sie fertiggestellt waren. Meistens saß er jedoch in der ruhigen Schneedämmerung nur still da. Er fror nie.

6

Als Edvard Liljeberg das nächste Mal mit den Skiern in den Flecken fuhr und Post und Lebensmittel mit zurückbrachte, stand Katri Kling wieder da und wollte die Post für Aemelin haben. Sie bat nicht darum, erklärte nichts, sie wollte sie einfach haben. Genau wie ihr Bruder stand sie da und wartete, bis Liljeberg nachgab.

»Also gut, von mir aus«, sagte Liljeberg, »nimm sie. Aber vergiss eins für alle Zukunft nicht: Alles, was mit Zahlungsanweisungen zu tun hat, ist mit größter Sorgfalt zu behandeln. Nicht das kleinste Zettelchen darf verschwinden, und wenn es vom alten Fräulein dort oben unterschrieben und ordentlich beglaubigt ist, bin ich derjenige, der das Geld abhebt. Und wenn das Geld dann kommt, erhält sie es bis auf den letzten Penni.«

»Du erstaunst mich«, sagte Katri, und ihre Stimme war sehr kalt. »Hast du mich jemals nachlässig mit Zahlen umgehen sehen?«

Liljeberg schwieg einen Augenblick lang und versetzte dann: »Ich habe übereilt gesprochen, ohne zu überlegen. Vielmehr ist es wohl so, dass du die Einzige bist, der ich diese Sache anvertrauen kann.« Und er fügte hinzu: »Man kann bestimmt einiges über dich sagen, aber ehrlich bist du.«

Katri betrat den Laden, aus dem der hilflose Hass des Kaufmanns ihr entgegenschlug. Sie sagte: »Ich bringe die Post zur Aemelin hinauf. Hat sie angerufen und irgendetwas bestellt, das ich mitnehmen könnte?«

»Nein. Die Aemelin isst aus Dosen, die kann nicht kochen. Aber Liljeberg hat Nieren mitgebracht.«

»Die können Sie selbst essen«, sagte Katri. »Essen Sie nur Nieren, Leber und Lungenmus, so viel Sie wollen, aber hören Sie auf mit Ihren Gemeinheiten einer Person gegenüber, die sich nicht wehren kann.«

»Wieso bin ich denn gemein?«, rief er aufrichtig gekränkt aus. »Ich beliefere das ganze Dorf, und kein Mensch hat je gesagt, dass ich gemein sei ...«

Katri unterbrach ihn: »Einmal Spaghetti, ein Brühwürfel, zwei kleine Erbsensuppen und ein Kilo Zucker. Ich nehme es gleich mit. Schreiben Sie es auf ihre Rechnung.«

Sehr leise erwiderte der Kaufmann: »Wenn hier jemand gemein ist, dann bist du das.«

Katri ging weiter an den Regalen entlang. »Reis«, sagte sie, »von der schnell kochenden Sorte.« Und fügte hinzu: »Machen Sie sich nicht lächerlich.« Dieselbe gleichgültig abfertigende Bemerkung, die seine Begierde einst in Hass verwandelt hatte, es war, als hätte die Frau einem Hund Befehle erteilt.

Als Katri zum zweiten Mal zum Kaninchenhaus kam, ließ sie den Hund auf dem Hinterhof warten. Anna Aemelin hatte sie den Weg heraufkommen sehen und öffnete sofort; nach den ersten atemlosen Höflichkeiten verstummte sie und wurde verlegen. Katri zog ihre Stiefel aus und brachte die Lebensmitteltüte in die Küche. Sie sagte: »Ich habe kein frisches Fleisch mitgebracht, nur Dosen, lauter Sachen, die keine Mühe machen. Liljeberg hat heute Nachmittag die Post gebracht.«

»Wie schön«, rief Anna aus, und ihre Erleichterung galt weder der Post noch den Dosen, sondern lediglich der Tatsache, dass diese seltsame Person endlich etwas sagte, was sich in einem normalen Gespräch verwenden ließ. »Wie schön ... Dosen sind so praktisch, vor allem, wenn sie klein sind, die werden nicht schlecht ... Habe ich Ihnen schon gesagt, dass rohes Fleisch mich beunruhigt, es hält sich nicht, das ist wie mit Blumen, eine Art Verantwortung, nicht wahr? Entweder gibt man ihnen zu viel Wasser oder zu wenig, man weiß nie, woran man ist ...«

»Nein, das weiß man nie. Aber hier ist es zu warm. Blumen mögen keine Hitze.«

»Jaja, das ist schon möglich«, sagte Anna vage, »ich weiß nicht, warum die Leute immer erwarten, dass ich Blumen habe ...«

»Ich verstehe. Blumen, Kinder und Hunde.«

»Bitte?«

»Dass Sie Blumen, Kinder und Hunde gern haben. Aber das tun Sie wahrscheinlich nicht.«

Anna sah auf, ein scharfer Blick, aber das breite, ruhige Gesicht vor ihr drückte nichts aus. Ziemlich steif entgegnete sie: »Welch eine eigenartige Bemerkung, Fräulein Kling. Kommen Sie doch in den Salon. Auch wenn Sie keinen Kaffee mögen.«

Sie gingen in den Salon. Dieselbe sanfte Beleuchtung, dasselbe Gefühl von Leere, Unveränderlichkeit und der aufgezwungenen Langsamkeit des Albtraums. Anna setzte sich und schwieg.

Katri bemerkte sehr rasch: »Fräulein Aemelin, Sie sind zu freundlich zu mir. Das verdiene ich nicht.«

Plötzlich, völlig grundlos, wollte sie fort aus dem Kaninchenhaus, sie legte die Post vor Anna hin und sagte kurz, dass eine Postanweisung dabei sei, die unterschrieben werden müsse. Anna hob ihre Brille hoch, schaute und sagte: »Wie ich sehe, ist sie schon beglaubigt. Aber wer kann das denn sein, welch ein eigenartiger Name? Ist da etwa irgendein Ausländer ins Dorf gezogen?«

»Nein, den Namen habe ich mir ausgedacht. Ein ziemlich ungewöhnlicher Name, nicht wahr?«

»Das verstehe ich nicht«, sagte Anna. »Das ist doch wohl kaum üblich, oder?«

»Ich habe es hingeschrieben, um Zeit zu sparen.«

»Aber hier sind ja noch mehr Zettel, und auf jedem steht derselbe komische Name, und alle sind genau gleich geschrieben.«

Katri lächelte, ein rasches, leicht erschrockenes Lächeln blitzte auf wie Neonlicht und erlosch ebenso rasch. Sie sagte: »Fräulein Aemelin, ich kann sehr gut Unterschriften nachmachen. Die Leute bringen mir ihre Papiere und wollen manchmal, dass ich für sie unterschreibe. Wenn es Ihnen Spaß macht, kann ich auch Ihren Namen schreiben.«

Und Katri Kling unterschrieb mit Anna Aemelins Namen, das Autogramm, das sie erhalten hatte, war vollendet kopiert.

»Unglaublich«, sagte Anna. »Wie geschickt! Können Sie auch zeichnen?«

»Das glaube ich nicht. Ich habe es nie versucht.«

Der Wind hatte inzwischen zugenommen. Das heftige Flüstern, das die Dorfbewohner jetzt schon so lange Zeit begleitete, presste den Schnee gegen die Fenster, zwischen den Sturmböen war es still.

»Ich muss jetzt gehen«, sagte Katri.

Als Anna die Küchentür öffnete, erblickte sie den Hund, sein Fell war voller Schneekristalle, und Schneerauch dampfte aus dem offenen Rachen des großen Tieres. Anna schrie auf und versuchte die Tür zuzuschlagen.

»Er tut nichts«, erklärte Katri, »ein sehr wohlerzogener Hund.«

»Aber er ist zu groß! Er hat das Maul aufgesperrt ...«

»Er tut nichts. Ein ganz normaler Schäferhund.«

Frau und Hund gingen den Weg hinunter, beide gleich grau und zottig. Anna sah sie gehen. Sie zitterte noch von ihrem Schreck, doch zugleich wurde ihre Erregung von einer kleinen neugierigen

Spannung gefärbt, sie dachte: Aber diese Katri Kling ist ja wirklich abenteuerlich. Sie ist nicht wie die anderen. Wenn ich nur wüsste, wem sie ähnlich sieht, vor allem, wenn sie lächelt ...

Sie ähnelte keinem von Annas Bekannten, von den Bekannten, die sie früher gehabt hatte, nein, es war ein Bild, etwas aus einem Buch. Und plötzlich begann Anna vor sich hinzulachen. Die lächelnde Katri mit der Pelzmütze erinnerte doch tatsächlich an den großen bösen Wolf.

Ungefähr jedes zweite Jahr erschien ein Bilderbuch von Anna Aemelin, ein sehr kleines Buch für sehr kleine Kinder. Jetzt hatte der Verlag eine Abrechnung geschickt und ein paar Rezensionen vom letzten Jahr beigefügt, die leider, mit der Bitte um Entschuldigung und freundlichen Grüßen, verlegt worden waren. Anna faltete den einen Zeitungsausschnitt auseinander und setzte die Brille auf.

»Aemelin verblüfft uns ein weiteres Mal durch ihre anspruchslose, liebevolle Behandlung jener Miniaturwelt, die nur ihr gehört: des Waldbodens. Jedes minuziös geformte Detail bedeutet für uns ein Wiedererkennen und zugleich eine Überraschung, sie lehrt uns zu sehen, ja, wirklich hinzuschauen. Der Text ist eher ein Kommentar, für Kinder geeignet, die knapp das Lesealter erreicht haben, er unterscheidet sich kaum vom einen Büchlein zum anderen. Aber Aemelins Aquarelle sind immer neu. Aus einer naiven, zugleich sehr raffinierten Froschperspektive hat sie die Idee des Waldes eingefangen, seine Stille und Dunkelheit, vor uns breitet sich ein unberührter Urzeitwald aus, dessen Moos zu betreten nur die ganz Kleinen wagen können. Wir sind davon überzeugt, dass alle Kinder mit oder ohne Kaninchen ...«

Wenn sie zu den Kaninchen kam, hörte Anna immer zu lesen auf. Der zweite Zeitungsausschnitt war von einem Bild begleitet, dem üblichen, das viel zu häufig auftauchte. Die Karikatur war zwar freundlich, aber der Zeichner hatte mehr an ein Kaninchen gedacht als an Anna selbst; besonders große Sorgfalt hatte er auf die viereckigen, weit auseinanderstehenden Vorderzähne verwandt, insgesamt wirkte Anna auf dem Bild weißwollig und geistesabwesend. Jetzt stell dich nur nicht so an, sagte Anna zu sich selbst, schließlich bekommt nicht jeder sein Bild in die Zeitung. Nächstes Mal muss ich eben daran denken, nicht die Zähne zu zeigen und das Kinn hochzuhalten. Möchte wissen, warum sie einen unbedingt immer zum Lächeln bringen wollen ...

»Anna Aemelins niedliche Büchlein mit abwaschbarem Umschlag werden immer wieder mit Freude aufgenommen. Sie sind in mehrere Sprachen übersetzt. Im diesjährigen Buch geht es vor allem um das Sammeln von Heidelbeeren und Preiselbeeren. Bei allem Respekt vor Aemelins überzeugender und einnehmender Darstellung der nordischen Waldlandschaft muss man sich fragen, ob diese, ehrlich gesagt, doch ziemlich stereotypen Kaninchen ...«

»Ja, ja«, murmelte Anna vor sich hin, »die stellen sich das immer so einfach vor ...«

Die Kinderbriefe mussten vorläufig noch warten. Im Schutz ihres Zimmers kroch Anna unter die Bettdecke, machte in dem schwindenden Tageslicht die Lampe an und schlug ihr Buch beim Lesezeichen auf. Während sie von Jimmys Abenteuern in Afrika las, kehrte die Ruhe zurück, genau wie sie gehofft hatte.

7

Die Kälte hielt das Dorf jetzt fest im Griff. Immer wieder musste Liljeberg den Weg zur alten Aemelin hinauf freischaufeln, damit Frau Sundblom auf ihren kranken Beinen zum Putzen hinaufkommen konnte. Das tat sie zwar nur einmal in der Woche, und das Obergeschoss war sowieso schon seit Langem abgesperrt, aber für eine ältere Person wurde es dennoch zu viel, und Frau Sundblom beklagte sich oft über ihr Los.

»Eigentlich haben Sie mit Ihren gehäkelten Bettüberwürfen doch Ihr gutes Auskommen«, meinte die Nygårds-Wirtin, »sagen Sie Fräulein Aemelin doch einfach, dass Ihnen das Saubermachen zu viel wird. Es gibt jüngere Leute, die das übernehmen können. Katri Kling hat ja im Kaufladen aufgehört und bringt jetzt immer die Post ins Kaninchenhaus, reden Sie doch mit ihr darüber.«

»Mit der«, rief Frau Sundblom aus, »das wissen Sie doch selbst, dass man nicht so einfach hingehen und mit Katri Kling reden kann. Ich wenigstens kann das nicht. Ich habe auch meine Prinzipien.«

»Was denn für welche?«, fragte die Nygårds-Wirtin.

Aber Frau Sundblom schien nicht zugehört zu haben, sie sah grimmig zum Fenster hinaus und sagte das Übliche über den Schnee, und bald darauf ging sie. Alle, die zu Nygårds zu Besuch kamen, durften im Schaukelstuhl sitzen, nur Frau Sundblom war immer so voller Sorgen und Nöte, dass sie das Schaukeln nicht vertrug, sie setzte sich lieber auf die Holzbank neben der Tür. Frau Sundblom war vielleicht als Einzige nicht in der Lage

zu spüren, welch eine Ruhe in der großen Küche herrschte, in der doch so viele Generationen ständig aus und ein gingen. Die Ruhe hier stimmte den Gast zufrieden und ließ ihn alle Eile vergessen. Die alte Nygårds-Wirtin bewegte sich meistens um den gewaltigen altmodischen Ofenherd herum oder saß mit auf dem Bauch gekreuzten Händen davor. Alle anderen im Dorf hatten ihre alten Herde abgerissen, da sie so viel Platz beanspruchten, und seither waren ihre Küchen leer und ohne Zentrum. Aber bei Nygårds war es wie früher. Und wenn die Töchter und Schwiegertöchter an ihren Bettüberwürfen häkelten, dann häkelten sie die Muster der Nygårds-Wirtin, und zwar in den Farben, die deren Großmutter einst ausgesucht hatte. Die Bettüberwürfe von Nygård verkauften sich am besten. Einmal war die Rede davon gewesen, die Decken einem Laden im Marktflecken zu übergeben, und wie immer begab man sich zu Katri Kling, um die Angelegenheit zu besprechen. Doch Katri sagte, nein, keine Zwischenhändler. Die nehmen zu viele Prozente. »Ihr verliert nur daran, lasst die Leute doch hierherkommen, macht es ihnen schwer. Sie sollen das, was sie haben wollen, aufsuchen müssen, sie sollen auf die Jagd gehen müssen.«
Katri häkelte ebenfalls, genau wie alle anderen. Aber ihre Muster hatten zu kräftige Farben und viel zu viel Schwarz darin.

Und der Schnee fiel und fiel, und vom Schneepflug war nichts zu hören, also fuhr Liljeberg weiterhin auf Skiern in den Marktflecken, obwohl er es nicht gern tat. Da er ein freundlicher Mensch war, nahm er private Aufträge an, vorausgesetzt, sie waren klein, Medizin zum Beispiel, vielleicht auch Unterwäsche oder Blumendünger für die Zimmerpflanzen und Garn für die Frauen, wenn ihr Vorrat zu Ende war. In einen Rucksack und eine Pulka passt nicht allzu viel hinein, und er musste in erster

Linie an die Post und die frischen Waren für den Kaufmann denken. Die Dorfbewohner pflegten ihre Bestellungen im Flur des Kaufmanns abzugeben. Als Katri ihn jedoch bat, in die Leihbücherei zu gehen, weigerte er sich strikt. Er sagte ihr, sie könne von der Aemelin Bücher für Mats leihen, da gebe es ganze Regale voller Bücher, das habe er selbst gesehen. Aber Katri wollte nicht mit Anna Aemelin über Bücher reden. Wenn sie jetzt die Post ins Kaninchenhaus brachte, zog sie ihre Stiefel nicht mehr aus, sie grüßte nur und sagte ein paar unvermeidliche Worte und ging dann weiter mit ihrem Hund. Katri hatte aufgegeben. Sie hatte erkannt, dass es ihr unmöglich war, sich einer Freundlichkeit zu bedienen, die sie nicht besaß, jener einfachen Freundlichkeit, die nötig gewesen wäre, um Anna Aemelin näherzukommen, und die unerreichbar jenseits der Grenzen lag, die Katri sich in ihrer Selbstgenügsamkeit gezogen hatte.

Die Nygårds-Wirtin rief an und fragte, ob Anna Lust habe, zum Kaffee vorbeizukommen. Es sei ja nicht weit, und einer der Jungen könne vorbeikommen und sie abholen.

»Wie lieb von Ihnen«, sagte Anna, die die Wirtin sehr gern mochte, »aber es ist so schrecklich kalt geworden, und Sie werden verstehen, es ist ja ein richtiges Unternehmen, sich hinauszubegeben ...«

»Ja, das verstehe ich. Man begibt sich eigentlich nur hinaus, wenn man muss. Oder auch, wenn man Lust hat. Da gibt's nur eins, abwarten und sehen, ob man Lust bekommt. Geht es Ihnen gut? Ist alles so, wie es sein soll?«

»Danke«, sagte Anna. »Vielen Dank, dass Sie angerufen haben.« Die Wirtin schwieg eine Zeit lang und fügte dann hinzu: »Ihr Vater ging oft durchs Dorf. Ich kann mich noch gut an ihn erinnern. Er hatte einen sehr schönen Bart.«

Am selben Tag brachte Katri die Post.

»Gehen Sie bitte noch nicht«, bat Anna, »nicht sofort, Fräulein Kling. Sie sind so hilfsbereit gewesen; ich möchte Ihnen gern das Heim meiner Eltern zeigen.«

Sie gingen zusammen durchs Haus, von Zimmer zu Zimmer, ein jedes in seiner eigenen unberührbaren Ordnung. Katri konnte zwischen den einzelnen Zimmern keinen großen Unterschied sehen, alle waren in verblichenem Blau gehalten und wirkten auf unbestimmbare Weise bedrückend.

Anna gab die ganze Zeit Erklärungen von sich.

»Hier ist Papas Stuhl, in dem er seine Zeitung las, niemand außer Papa durfte die Zeitungen beim Kaufmann holen, und er las sie alle der Reihe nach, die Post kam allerdings nur selten ... Und hier ist Mamas Abendlampe, den Schirm hat sie selbst bestickt. Dieses Foto ist auf Hangö aufgenommen worden ...«

Katri war sehr still, gab nur manchmal einen schroffen Kommentar von sich.

Nach einer Weile wurde sie ins Obergeschoss geführt, wo es eisig kalt war.

»Hier oben ist es schon immer kalt gewesen«, erklärte Anna, »aber hier hat nur das Dienstmädchen gewohnt. Die Gästezimmer waren fast immer leer, Papa machte sich nicht besonders viel aus Gästen, sie störten seine Kreise, wenn Sie verstehen ... Aber er schrieb eine Menge Briefe und brachte sie selbst zum Kaufmann ... Ach, wissen Sie, Fräulein Kling, obwohl Papa kaum einen Menschen im Dorf kannte, nahmen sie doch alle die Mütze ab, wenn er vorbeiging, ganz spontan.«

»Tatsächlich?«, versetzte Katri. »Und er, nahm er den Hut ab?«

»Den Hut?«, wiederholte Anna verwirrt, »wenn er überhaupt einen Hut hatte ... Komisch, an seinen Hut kann ich mich nicht erinnern ...« Worauf sie mit ihren Erzählungen fortfuhr.

Katri sah, dass Anna sehr erregt war. Anna redete zu viel. Jetzt ging es um die Mama, die an Weihnachten zu den Armen ins Dorf gegangen war und Kuchen verteilt hatte.

»Die Armen fühlten sich dadurch doch wohl nicht gekränkt?«, fragte Katri.

Anna sah rasch auf und wieder weg, dann machte sie mutig mit Papas Briefmarkenalben weiter, mit Mamas Rezeptbuch, mit dem Kissen des Hundes Teddy, mit Papas Jahreskalender, in dem gute und schlechte Taten verzeichnet wurden, die dann am Neujahrsabend ernsthaft durchgesprochen wurden. Anna vollführte einen Amoklauf durch das Haus ihrer Eltern und lieferte alles aus, dessen Wert und Anmut nun zum ersten Mal infrage gestellt wurde, von einem sündigen Befreiungsgefühl besessen stürzte sie weiter von angezweifeltem Tabu zu Tabu, ohne aufhören zu können, sie zwang ihren unfreiwilligen Gast dazu, immer mehr zu sehen, immer neue Anekdoten von Papa zu hören, Geschichtchen, deren Pointen schon zunichte waren, bevor sie Katris Schweigen ausgesetzt wurden. Es war, wie wenn man in der Kirche lacht. Das Unantastbare wurde einem großen, verräterischen Angriff ausgesetzt, und Anna ließ es geschehen, ihre Stimme rutschte in die Höhe und wurde schrill, sie stolperte über die Türschwellen, bis Katri sehr behutsam ihren Arm nahm und sagte: »Fräulein Aemelin, wir müssen uns jetzt trennen.« Anna wurde sehr still. Katri fügte freundlich hinzu:»Ihre Eltern waren wohl ungewöhnlich starke Persönlichkeiten.«

Auf dem Hof zündete Katri sich ihre Zigarette an, der Hund schloss sich ihr an, und sie gingen zusammen zur Landstraße hinunter. Der ständig wiederkehrende Zweifel tauchte erneut auf: Warum habe ich das vorhin gesagt? Ihr zuliebe, um ihr das Gefühl zu ersparen, ihre Denkmäler ausgeliefert zu haben? Nein! Mir selbst zuliebe? Nein! Ein Mensch, der durchzudrehen beginnt, muss aufgehalten werden, eine Übertreibung muss gestoppt werden, mehr nicht.

Nachdem Katri gegangen war, begann Anna zu frieren, plötzlich schien das ganze Haus voller Menschen zu sein, sie bekam eine unerklärliche Lust, jemanden anzurufen, egal wen. Aber was gab es schon zu sagen, vielleicht nicht viel mehr, als dass sie viel zu viel gesagt hatte ... *Eine Sache*, dachte Anna, habe ich jedenfalls nicht ausgeliefert. Meine Arbeit habe ich ihr nicht gezeigt.

Die hatte allerdings auch nichts mit Papa und Mama zu tun.

Am Mittwoch, dem wöchentlichen Putztag, als Frau Sundblom vom Kaninchenhaus nach Hause unterwegs war, begegnete sie Katri und dem Hund. Sie blieb auf dem Weg stehen und sagte: »Es geht mich ja nichts an, aber das Fräulein hat seit Wochen kein frisches Fleisch mehr bekommen, und überhaupt habe sonst immer ich ihr die Waren gebracht.«

»Fräulein Aemelin mag keine Innereien«, sagte Katri.

»Und woher wissen Sie das?«

»Das hat sie gesagt.«

»Und warum ist der Kühlschrank neu eingeräumt?«

»Weil er schmutzig war.«

Frau Sundblom wurde langsam rot im Gesicht, sie schien über den Weg hinauszuschwellen, als sie antwortete: »Fräulein Kling, das Saubermachen ist meine Sache, und ich mache so sauber, wie ich es gewohnt bin, und ich mag es ganz und gar nicht, wenn jemand sich in meine Angelegenheiten einmischt.«

Ohne zu antworten, lächelte Katri ihr Wolfslächeln, das jeden hätte aus der Fassung bringen können, sodass Frau Sundblom laut rief: »Aha! Soso! Ich kenne da jemand, der sich beim Fräulein einzuschmeicheln versucht, nur weil sie den Überblick verloren hat.« Und damit stolperte die umfangreiche Person den Weg weiter hinunter.

Als Katri ins Kaninchenhaus kam, stellte sie die Einkaufstüte im Flur ab und erklärte kurz, dass sie nicht bleiben könne.

»Haben Sie denn keine Zeit, nur ein kleines Stündchen?«

»Doch, ich habe Zeit, aber ich kann nicht bleiben.«

»Fräulein Kling, haben Sie keine Lust zu bleiben?«

»Nein«, antwortete Katri.

Da lächelte Anna, und ohne eine Spur von ihrer üblichen Verwirrung sagte sie: »Sie sind wirklich eine recht ungewöhnliche Person, Fräulein Kling. Ich habe noch nie einen Menschen kennengelernt, der so schrecklich – und hier benütze ich das Adjektiv bewusst in seiner erschreckenden Bedeutung – so schrecklich ehrlich ist wie Sie. Ich möchte gern, dass Sie mir zuhören, ich glaube nämlich, dass das, was ich zu sagen habe, wichtig ist. Sie sind jung und wissen vielleicht nicht so viel vom Leben, aber Sie dürfen mir glauben, beinahe alle versuchen etwas anderes darzustellen als das, was sie sind und wofür sie einstehen können.« Anna überlegte und fügte hinzu: »Die Nygårds-Wirtin nicht, aber das ist etwas anderes ... Wissen Sie, ich merke viel mehr, als die Leute wissen. Missverstehen Sie mich nicht, natürlich meinen sie es gut. In meinem ganzen Leben bin ich nie etwas anderem als Freundlichkeit begegnet. Aber trotzdem ... Sie, Fräulein Kling, Sie sind immer Sie selbst, und das ist irgendwie ...« Anna zögerte und fuhr dann fort: »... anders. Ihnen kann man glauben.«

Katri sah Anna an, Anna, die soeben ganz nebenbei, mit freundlichem Ernst, das Fahrtsignal für die berechtigte Eroberung des Kaninchenhauses gegeben hatte. Und Anna fuhr fort:

»Nehmen Sie es mir nicht übel, Fräulein Kling, aber irgendwie gefällt mir Ihre Art, nie das zu sagen, was man erwartet; bei Ihnen findet man nichts – bitte entschuldigen Sie – von dem, was man Höflichkeit nennt … Und Höflichkeit kann mitunter fast eine Art Betrug sein, nicht wahr? Verstehen Sie, was ich meine?«

»Ja«, antwortete Katri, »ich verstehe.«

Katri ging mit dem Hund auf die Landzunge hinaus. Der Schnee war heute verharscht, bald ging es auf den Frühling zu, ein Frühling, der Katri Kling gehörte, Katri Kling, die in gewagtem, ehrlichem Spiel endlich eine Runde gewonnen hatte und alles, was sie erreichen wollte, in Reichweite hatte. Neue Kraft strömte durch sie hindurch, sie lief auf dem brechenden Harsch in die Schneewehen am Strand hinaus und blieb dort bis zu den Knien im Schnee stehen, hob die Arme und lachte. Der Hund wartete auf dem Leuchtturmweg, er knurrte, ein leises, warnendes Knurren tief unten in der Kehle.

»Still«, sagte Katri. »Platz.« Dieser Befehl galt zugleich ihr selbst. Jetzt galt es nur, Ruhe und Überlegung zu bewahren. Das Spiel konnte weitergehen, nun konnte sie mit ihren eigenen Waffen kämpfen. Und die waren sauber, davon war sie überzeugt.

8

»Hier sind ein paar Postanweisungen, die ich unterschrieben und beglaubigt habe, aber Sie sollten sie lieber noch einmal durchsehen, bevor sie weitergehen. Und hier ist das Geld, das Liljeberg letztes Mal abgehoben hat.«

»Lieb von Ihnen«, sagte Anna und steckte den Umschlag in ihren Sekretär.

»Aber wollen Sie die Summe denn nicht nachprüfen?«

»Warum denn?«

»Um sicher zu sein, dass sie stimmt.«

»Mein liebes Fräulein Kling«, sagte Anna, »ich bin überzeugt, dass sie stimmt. Fährt Liljeberg immer noch auf Skiern in die Stadt?«

»Ja, er fährt mit den Skiern hin.« Katri zögerte einen Augenblick, bevor sie fortfuhr: »Fräulein Aemelin, da ist etwas, worüber ich mit Ihnen reden möchte. Liljeberg hat für das Schneeschaufeln und für den Ausguss zu viel verlangt, sowohl an Stundenlohn als auch an Material. Ich habe es ihm gesagt und den Unterschiedsbetrag zurückerhalten. Hier ist er.«

»Aber das kann man doch nicht machen«, wandte Anna ein, »so etwas tut man doch einfach nicht ... Und woher wissen Sie das so sicher?«

»Ich habe mich nach den üblichen Preisen erkundigt und ihn gefragt, was er verlangt hat, das war sehr einfach.«

»Das glaube ich nicht«, sagte Anna. »Überhaupt nicht. Alle Liljebergs haben mich gern, ich weiß, dass sie mich gern haben ...«

»Glauben Sie mir, Fräulein Aemelin, Leute, die man übers Ohr hauen kann, hat man gleich weniger gern.«

Anna schüttelte den Kopf. »Wie peinlich«, sagte sie. »Und ausgerechnet jetzt, wo es zum Dachbodenfenster hereinschneit ...«

»Glauben Sie mir«, wiederholte Katri. »Das ist nicht peinlich. Liljeberg wird Ihnen jederzeit Ihr Dachbodenfenster abdichten, und zwar mit neuem Respekt und zu einem anständigen Preis.«

Aber Anna konnte sich nicht beruhigen, sie blieb dabei, dass das Ganze eine bedauerliche, unnötige Geschichte sei und dass Liljeberg und sie nie mehr in der Lage sein würden, unbefangen miteinander zu verkehren. Außerdem sei das Geld nicht immer so wichtig, wie man annehme.

»Es mag sein, dass Mark und Penni nicht so wichtig sind«, sagte Katri. »Wichtig ist aber, dass man ehrlich ist und den anderen nicht betrügt, nicht einmal um einen Penni. Es ist nur dann verzeihlich, das Geld eines anderen zu nehmen, wenn man es vermehren und es gerecht verteilt wieder zurückgeben kann.«

»Mein liebes Fräulein Kling, Sie reden plötzlich so viel«, bemerkte Anna, deren Gedanken woanders waren.

Katri wurde unvorsichtig. Durch das Gespräch irritiert, sagte sie: »Da wir schon von diesen Dingen reden, wie viel bekommt Frau Sundblom?«

Anna richtete sich auf; im gleichen Tonfall, den ihr Vater benützt hatte, wenn er ein seltenes Mal einen Domestiken ansprach, äußerte sie sehr steif: »Mein liebes Fräulein Kling, für solche Details habe ich wirklich kein Gedächtnis.«

9

Mats Kling und Liljeberg kamen sich auf der Dorfstraße entgegen.

»Soso, du führst den Hund spazieren, wie ich sehe«, sagte Liljeberg.

»Ja. Ich soll das alte Fräulein Aemelin besuchen und mit ihr übers Dachbodenfenster reden.«

»Ich habe schon gehört, dass du es reparierst. Es soll dort hereinschneien.«

»Und der Ausguss ist auch wieder verstopft.«

»Genau«, sagte Liljeberg. »Deine Schwester sorgt für alles, aber das ist ja nur gut so. Jetzt ist ja Tauwetter, da wollten wir eigentlich im Bootsschuppen weiterarbeiten. Übrigens habe ich gesehen, dass du von der Seeseite aus hineingehst.«

»Aber den anderen hast du's nicht gesagt?«

»Nein, warum sollte ich? Und inzwischen hat die Gemeinde ja den Schneepflug geschickt.«

Mats nickte.

»Und Frau Sundblom soll ja bei der Aemelin aufhören«, fuhr Liljeberg fort, »es heißt, der Berg sei zu anstrengend für ihre Beine, aber manche machen sich ihre eigenen Gedanken darüber.«

Mats nickte wieder, ohne zuzuhören. Sie verabschiedeten sich und setzten ihren Weg jeder in seine Richtung fort.

Die Tannen schlossen so dicht ans Kaninchenhaus an, dass der Hinterhof ständig im Schatten lag. Einsam ist es hier, dachte Mats, dies Haus ist sehr einsam, vielleicht, weil es so groß ist.

Der Hund legte sich mit der Schnauze zwischen den Pfoten auf seinen gewohnten Platz neben der Küchentreppe.

»Du bist also Mats«, sagte Anna Aemelin. »Lieb, dass du kommst. Und das Werkzeug hast du auch schon dabei, sehe ich. Aber die Sache mit dem Fenster ist nicht so eilig … Zieh erst einmal die Stiefel aus und komm ein bisschen herein.« Sie sah den Hund an und fragte: »Warum darf er nicht hereinkommen und sich ein bisschen aufwärmen? Deine Schwester lässt ihn nie hereinkommen.«

Mats antwortete, dass der Hund sich im Freien wahrscheinlich wohler fühle.

»Aber wenn er Durst hat? Oder trinkt er etwa Schnee?«

»Das glaube ich nicht.«

»Komm her, Hundchen«, lockte Anna. »Wie heißt er?«

»Sie brauchen sich keine Sorgen zu machen, es geht ihm gut da draußen.«

Mats zog seine Stiefel aus. Sie tranken Kaffee im Salon. Mats machte keinen Versuch, sich mit seiner Gastgeberin zu unterhalten, aber er lächelte sie manchmal an und sah sich mit so anerkennendem Gesichtsausdruck um, dass Anna ganz froh wurde.

»Das liegt am Schneelicht«, sagte sie, »im Schneelicht wird alles schön.« Anna mochte Mats Kling; gleich, als er zur Tür hereingekommen war, hatte sie sich in seiner Gegenwart wohlgefühlt. Dass zwei Geschwister so verschieden sein können! Aber beide gleich schweigsam.

»Weißt du was«, sagte Anna, »anfangs hatte ich fast ein wenig Angst vor deiner Schwester. Dumm von mir, nicht?«

»Sehr dumm«, erwiderte Mats mit einem Lächeln.

»Ja. So wie man vor einem großen fremden Hund Respekt hat, obwohl er ganz stillhält. Jetzt bin ich ja so froh, dass Katri versprochen hat, mir beim Saubermachen zu helfen …«

Einen Augenblick lang glitt Frau Sundbloms einschüchternder Schatten erzürnt durch den Raum, Anna schüttelte ihn ab, seufzte, dann wurde es wieder still.

»Ich sehe, Sie lesen *Jimmys Abenteuer in Afrika*. Das ist ein gutes Buch«, sagte Mats.

»Ja, es ist gut.«

»Aber *Jimmys Abenteuer in Australien* ist noch besser.«

»Was du nicht sagst! Hat er da immer noch Jack dabei?«

»Nein. Jack ist in Südamerika geblieben.«

»Ach«, meinte Anna, »eigentlich schade. Ich finde, wenn zwei Kameraden gemeinsam ein Abenteuer anfangen, müssten sie auch gemeinsam weitermachen dürfen, sonst ist es ja fast so, als würde der Leser hereingelegt.« Sie stand auf und sagte: »Komm her und sieh dir meine Bücher an. Kennst du schon Foresters Seeabenteuer?«

»Nein.«

»Und Jack London?«

»Die waren alle ausgeliehen.«

»Mein lieber junger Freund«, rief Anna aus. »Bevor du die gelesen hast, brauchst du gar nicht mit mir zu sprechen. Sag kein Wort über wirkliche Abenteuer, du hast ja noch keine Ahnung!«

Mats lachte. Annas Bücher standen in einem hohen weißen Zierregal mit geschnitzten Eckpfosten. Gemeinsam gingen sie die einzelnen Regale durch, sorgfältig und mit den kurzen Fragen und Kommentaren, die man den Dingen widmet, die wirklich wichtig sind. In Annas Regalen standen ausschließlich Abenteuerbücher, Abenteuer zu Land und zur See, Reisen im Ballon und Reisen, die in die innersten Tiefen der Erde und des Meeres hinunterführten. Die meisten Bücher waren sehr alt. Im Laufe eines langen Lebens, das in jeder anderen Hinsicht von irrationalen Fantasien völlig frei gewesen war, hatte Annas Vater sie gesammelt. Ab und zu war Anna der Gedanke gekommen, diese Büchersammlung sei von all den Dingen, die sie voller Ehrfurcht von ihrem Vater übernommen hatte, das Beste, doch das war nur eine schüchterne Überlegung, die die übrigen Wertvorstellungen ihres Vaters nicht überschatten durfte.

Als Mats mit einem Packen Bücher nach Hause ging, war das Dachbodenfenster nicht erwähnt worden. Er versprach, am nächsten Tag mit *Jimmys Abenteuer in Australien* zurückzukommen. Und Anna führte ein langes Telefongespräch mit der Buchhandlung im Marktflecken.

Mats reparierte das Fenster und den Ausguss. Er schippte Schnee und hackte Holz und machte Feuer in Annas schönen Kachelöfen. Aber meistens kam er nur, um Bücher auszuleihen. Zwischen Anna und Mats bahnte sich eine vorsichtige, eher schüchterne Freundschaft an. Sie sprachen ausschließlich über ihre Bücher. Da die Helden mancher Bücher Band für Band wiederkehrten, konnten Anna und Mats ohne lange Erläuterungen auf Jack, Tom oder Jane anspielen, die sich neulich so oder so benommen hatten, und dabei fast das Gefühl haben, über alte Bekannte zu tratschen, ohne diese dadurch zu verletzen. Die beiden kritisierten und lobten, entsetzten sich und gingen ausführlich auf den glücklichen Schluss ein, auf die gerechte Verteilung von Erbschaften und auf Hochzeitspaare und das Schicksal der Bösewichter. Anna begann ihre Bücher noch einmal zu lesen, und plötzlich hatte sie das Gefühl, einen großen Freundeskreis zu haben, dessen Mitglieder alle mehr oder weniger abenteuerlich lebten. Sie wurde zusehends fröhlicher. Abends, wenn Mats kam, tranken sie in der Küche Tee, lasen dabei ihre Bücher und unterhielten sich darüber. Falls Katri dann hereinkam, verstummten sie und warteten, bis sie wieder hinausging. Die Hoftür wurde geschlossen. Katri war nach Hause gegangen.

Anna fragte: »Liest deine Schwester unsere Bücher?«

»Nein. Sie liest gute Literatur.«

»Eine bemerkenswerte Frau«, stellte Anna fest. »Und außerdem hat sie Sinn für Mathematik.«

10

Dann kam der erste Frühjahrssturm vom Meer herein, ein starker, warmer Wind. Der Schnee war schon schwer und bröcklig; während der Sturmwind durch den Wald fuhr, krachten große Schneeschwaden von den Zweigen und rissen dabei auch gleich brüchige Äste mit herab. Der ganze Wald war in Bewegung. Am Abend trat Anna unter die Bäume hinterm Haus. Dort stand sie lange still und lauschte. Es war wie jedes Jahr, wenn die Landschaft sich auf den Frühling vorbereitete, eine sehr starke Unruhe, die Anna wiedererkannte und willkommen hieß. Während sie lauschte, veränderte sich das Kaninchengesicht, es wurde straffer und beinahe streng. In den Bewegungen der Bäume, die unter dem Angriff des Windes schwankten, wurden Stimmen, Musik und ferne Rufe vernehmbar. Anna nickte vor sich hin – der lange Frühling hatte seinen ersten Anfang genommen.
Bald würde sie sich dem Boden nähern können.

Am nächsten Tag tobte der Sturm weiter. Katri kam nach Hause und stampfte sich auf der Treppe den Schnee von den Füßen. Der Laden war voller Leute, es roch säuerlich nach Schweiß und Spannung. In dem plötzlich entstandenen Schweigen erhob Frau Sundblom ihre Stimme: »Schönen guten Tag auch. Und wie geht's der Aemelin denn heute? Keine neuen Autogramme?« Der Kaufmann lachte kurz auf. Katri ging an ihnen vorbei zur Treppe hinüber.

»Nun, wie ich schon sagte«, nahm Husholms Emil den Faden wieder auf, »es sind schlimme Zeiten, man wird sich jetzt vorsehen müssen. Hierher können sie auch kommen, allzu viele Meilen sind es ja nicht. Bald wird man nachts noch die Tür abschließen müssen!«

»Was sagt denn die Polizei?«, fragte Liljeberg.

»Was soll die Polizei schon sagen? Der Polizeibeamte läuft herum und fragt und fragt, dann geht er nach Hause und schreibt einen Bericht. Es heißt, sie hätten sogar die Schnüre an den Kaminklappen mitgehen lassen.«

»Jesus, steh mir bei!«, rief Frau Sundblom aus. »Und die Aemelin, die an keiner einzigen Tür ein anständiges Schloss hat, die wird sich jetzt umtun müssen!«

Katri blieb mitten auf der Treppe stehen.

»Und hat er denn gar nichts gesehen, der arme Kerl?«, fragte Liljeberg.

»Nichts. Er hörte nur, dass jemand in der Villa Lärm machte, also ging er hin, und im nächsten Augenblick hatte er einen Schlag auf den Kopf weg. So kann's gehen.«

Mats lag auf dem Bett und las. »Hallo«, sagte er. »Hast du schon vom Einbruch drüben am Fährensund gehört?«

»Ich habe davon gehört«, sagte Katri und hängte ihren Mantel auf.

»Ist das nicht spannend?«

»Doch, sehr«, antwortete sie. Am Fenstertisch, mit dem Rücken zu Mats, schlug sie auf gut Glück eines seiner Bücher auf und ließ es still werden im Zimmer. Katri erfuhr nie, dass das Buch, hinter dem sie ihre Gedanken versteckte, *Kalle führt die Polizei an der Nase herum* hieß, und das war auch gut so, sie hätte den Witz doch nicht bemerkt. – Während Katri ihren fingierten Einbruch ins Kaninchenhaus plante, hatte sie keinen Augenblick das Gefühl, etwas recht Kindisches zu verfolgen, sie hatte lediglich eine Chance bekommen, eine Gelegenheit, die genutzt werden musste, solange der Wind und die Erregung im Dorf noch anhielten.

Es war spät in der Nacht, als Katri dem Hund ein Zeichen gab, ihr zu folgen; sie nahm die Taschenlampe, die Handschuhe und den Kartoffelsack, dann begab sie sich mit dem Hund ins Schneegestöber hinaus. Der Wind heulte wie in den besten Abenteuerbüchern über die Küste herein, und es war schwierig, den Weg zu finden.

Die Taschenlampe war keine große Hilfe, Katri geriet immer wieder in die Schneeberge am Straßenrand, aus denen sie dann herausklettern musste. Sie kam nur langsam vorwärts. Schließlich verpasste sie auch noch die Abzweigung und musste sich dorthin zurücktasten. Der Hund bekam seinen üblichen Platz vor der Küchentür zugewiesen, doch diesmal zog Katri ihre Stiefel nicht aus, im Gegenteil, sie schleppte so viel Schnee wie nur möglich auf die Teppiche herein. Hier drinnen schien der Sturm näher, der Wind kam stoßweise, in heftigen Anläufen, wie eine bewusst bösartige Kraft. Katri stellte die Taschenlampe aufs Büfett, in dem das Familiensilber aufgereiht stand, von ihr selbst blank poliert, und in der schmalen Lichtspur der Lampe legte sie alles in den Kartoffelsack – die Kanne, die Zuckerschüssel, das Sahnekännchen, den Samowar und die Dessertschüssel. Behutsam zog sie ein paar Schubladen heraus und leerte ihren Inhalt auf den Boden. Die Küchentür ließ sie offenstehen, als sie wieder ging. Das Ganze war ein sehr einfacher Einbruch, in Katris Augen eine rein praktische Maßnahme, ohne eine Spur von Dramatik oder ethischen Bedenken. Sie hatte nur eine Spielfigur bewegt, die die Positionen im Spiel ums Geld veränderte, und Anna war nichts als eine Gegenspielerin, die nun mit einem neuen Zug konfrontiert wurde.

Unten auf der Landstraße warf Katri den Kartoffelsack an den Straßenrand und ging nach Hause. Zum ersten Mal seit Langem schlief sie ohne Bedrückung und Angst, von milden Träumen gewiegt.

Anna nahm den Einbruch erstaunlich gelassen hin, die Dorfbewohner dagegen waren sehr aufgebracht. Sie kannten Anna Aemelin zwar nicht, die meisten wussten kaum, wie sie aussah, da sie fast nie im Dorf unterwegs war, aber sie war zu einem Begriff geworden, so etwas wie ein altes Wegzeichen, das schon immer an seinem Platz gestanden hat. Sich an Fräulein Aemelins Kaninchenvilla zu vergreifen, das war unanständig, beinahe so, als wäre eine Kapelle oder ein Denkmal geschändet worden. Ein Nachbar nach dem anderen schaute bei ihr vorbei, um seine Anteilnahme auszudrücken. Alle jene, die noch nie in der Kaninchenvilla gewesen waren, wurden jetzt entschädigt. Die Schubladen lagen inmitten des ganzen Durcheinanders auf dem Fußboden, niemand durfte sie anfassen, überhaupt durfte nichts angefasst werden, bevor die Polizei da gewesen war. Anna erklärte, dass ja Fingerabdrücke vorhanden sein könnten. Der Kartoffelsack mit dem Silber stand innerhalb der Küchentür und durfte ebenfalls nicht berührt werden. Mehrere Gäste hatten Gebäck mitgebracht, und Liljeberg holte eine kleine Flasche Kognak.

Die Begegnung mit dem Polizisten aus dem Städtchen bereitete Anna einiges Vergnügen, sie erzählte und erklärte und versuchte ihm auf alle erdenkliche Weise dabei behilflich zu sein, das Verbrechen zu rekonstruieren. Katri kochte Kaffee für die ganze Gesellschaft, und Anna bekam mehr gute Ratschläge, als sie im Kopf behalten konnte. Schließlich war es die Nygårds-Wirtin, die die allgemeine Meinung zum Ausdruck brachte: Solange die Gegend so unsicher war, durfte Anna nicht allein bleiben, diese

Verantwortung konnte das Dorf nicht auf sich nehmen. Die Wirtin schlug Katri Kling als vorübergehende Beschützerin vor und meinte auch, dass der Hund sich eine Zeit lang im Flur nützlich machen könne. Die Nygårds-Wirtin genoss aufgrund ihres hohen Alters und ihrer Erfahrung allgemeines Ansehen, der Polizist gab ihr ebenfalls recht. Gleich nach dem Kaffee brach er in den Marktflecken auf, um einen Bericht zu schreiben, die Dorfbewohner kehrten zu ihren Geschäften zurück, und schließlich waren nur noch Anna und Katri im Salon.

»Ja, ja«, sagte Anna, »so ein Spektakel! Aber ich begreife einfach nicht, warum er nicht nach Fingerabdrücken gesucht hat. Das tun sie doch immer. Und niemand konnte erklären, warum der Dieb den Sack in den Graben geworfen hatte. Was mag ihn nur so erschreckt haben – hier ist doch nachts kein Mensch unterwegs. Vielleicht ein Hund? Denn sein Gewissen kann es doch wohl nicht gewesen sein … Glauben Sie, ein Hund könnte heute Nacht unterwegs gewesen sein?«

»Das glaube ich«, sagte Katri.

Anna überlegte ein Weilchen und fragte dann plötzlich, ob Katri schon einmal Kriminalromane gelesen habe.

»Nein, das habe ich nicht.«

»Wir auch nicht … ich sitze hier und muss an das denken, was die Wirtin sagte … es ist nicht schwierig, morgens forsch und munter zu sein, aber in der Abenddämmerung ändert das sich rasch. Wirklich lieb von Ihnen, dass Sie mit dem Hund kommen wollen. Aber nur für ein paar Nächte, dann habe ich bestimmt alles vergessen. Ich vergesse so leicht …«

11

Katri zog ins Kaninchenhaus, und der Hund erhielt seinen Platz im Flur vor der Küchentür. Am ersten Tag war Katri so angespannt, dass ihr die einfachsten Tätigkeiten vorkamen wie nicht zu bewältigen. Von einem war sie jedoch fest überzeugt – sie musste sich sehr lautlos bewegen und so unsichtbar wie möglich sein, sie musste zu einem Schatten werden, der Annas lange, verwöhnte Schonzeit nicht im mindesten beeinträchtigte. Und die Zeit war knapp, jede Stunde zählte, in ein paar Tagen musste Katri von dem Haus Besitz ergriffen und Anna davon überzeugt haben, dass Selbstständigkeit auch dann noch denkbar war, wenn man nicht allein war. Aber Anna saß nur frierend vor dem Feuer in ihrem Kamin, sie fror schlimmer als je zuvor und fragte sich, warum ihr Haus bisher noch nie so unendlich leer und verlassen gewirkt hatte.

Katri kam herein, um Gute Nacht zu sagen. »Ich glaube kaum«, sagte sie vorsichtig, »dass das mit dem Türschloss etwas ausmacht ...«

»Was denn?« Anna fuhr hoch. »Welches Türschloss denn?«

»Ich meine, dass die Tür kein ordentliches Schloss hat. Wenn man damit anfängt, sich einzuschließen, kann daraus etwas werden, was man immer tun muss, ich meine, eine neue Sorge ...«

Anna wurde gereizt. »Wovon reden Sie eigentlich?«, sagte sie. »Warum sollte ich mich einschließen? Als ob es hier nicht eingesperrt genug wäre! Beruhigen Sie sich bitte, und gehen Sie jetzt schlafen.«

Am Morgen hatte eine unsichtbare Katri das Frühstückstablett neben Annas Bett gestellt, Feuer in den Kachelöfen angemacht, den Saum des Morgenrocks aufgenäht. Neben Annas Teller das richtige Buch beim Lesezeichen aufgeschlagen. Eine Menge kleiner Aufmerksamkeiten, überall, den ganzen Tag. Aber Katri blieb weiterhin unsichtbar. Anna wurde immer unruhiger, es war, wie wenn ein Geist im Haus wäre, einer dieser verwunschenen folgsamen Geister, die in den Schlössern der Volksmärchen hausen, geschäftige Märchenwesen, überall anwesend, aber dennoch immer verschwindend, man erhascht einen Bruchteil einer Bewegung und dreht sich um – doch da ist nichts. Eine Tür, die sich lautlos schließt. Zum ersten Mal in ihrem einsamen Leben bemerkte Anna, wie still es in ihrem Haus war, und die Stille kroch ihr in den Nacken. Gegen Abend verlor sie die Fassung, mit einem vorsichtigen Bogen um den Hund begab sie sich in die Küche, die Küche war leer, da eilte sie die Treppe hinauf und rief vor der Tür: »Fräulein Kling! Sind Sie da, oder wo sind Sie eigentlich?«

Katri öffnete. »Was ist denn?«, fragte sie. »Was ist passiert?«

»Nichts!«, erwiderte Anna. »Das ist es ja eben – nichts! Sie huschen nur umher, und ich weiß nie, wo Sie sind, das ist ja, wie wenn man Mäuse hinter der Tapete hat!«

Katri änderte ihre Taktik. Ihre raschen Schritte waren überall, sie klapperte mit dem Geschirr und begann draußen auf dem Hof Teppiche zu klopfen, und sie kam unablässig ins Zimmer, um Anna dieses oder jenes zu fragen. Schließlich bemerkte Anna: »Aber, meine Liebe, warum fragen Sie mich lauter Sachen, die Sie sehr gut allein entscheiden können? Sie sind ja gar nicht mehr Sie selbst! Ich kann Ihnen versichern, dass Sie nicht nervös zu sein brauchen, es gibt keinen Anlass zur Besorgnis.«

»Fräulein Aemelin, ich verstehe nicht ...«

»Der Einbruch, natürlich«, sagte Anna ungeduldig. »Unser Einbrecher!«

Katri begann zu lachen. Katris Lachen hatte nichts mit ihrem erschreckenden Lächeln gemeinsam, jetzt öffnete sich ihr ganzes Gesicht in einem eindeutig belustigten Lachen mit sehr schönen Zähnen. Anna betrachtete sie aufmerksam und sagte: »Ich habe Sie nie lachen sehen. Sie lachen wohl sehr selten?«

»Ja, sehr selten.«

»Und was ist denn so komisch? Unser Einbruch?«

Katri nickte.

»Na ja, darüber kann man geteilter Ansicht sein. Wie dem auch sei, Sie sind nicht mehr Sie selbst, woran das auch liegen mag. Am Anfang waren Sie amüsanter.«

Gegen drei Uhr läutete das Telefon, und Katri antwortete.

»Aha, Sie sind es«, sagte der Kaufmann. »Die alte Aemelin darf ihre Anrufe also nicht mehr selbst beantworten. Richten Sie ihr aus, dass die Polizei die Ganoven geschnappt hat. Sie waren gerade in eine neue Villa eingebrochen. Wie läuft die Überwachung denn so?«

»Wir brauchen zwei Liter Milch und Hefe, setzen Sie es auf die Rechnung.«

»So, gebacken wird jetzt auch? Mir scheint, das gibt noch einen Großhaushalt im Kaninchenhaus.«

»Ja, das wäre alles. Ich rufe an, wenn wir noch etwas brauchen.«

Katri legte den Hörer auf.

»Warum hat der Kaufmann denn angerufen?«, fragte Anna hinter ihr. »Das hat er bisher noch nie getan.«

»Ich habe etwas Hefe bestellt. Mehl ist noch da.« Katri blieb in der halb offenen Tür stehen, sie sah Anna direkt an. Schließlich sagte sie sehr kurz: »Sie sind geschnappt worden.«

»Was haben Sie gesagt?«

»Die Einbrecher. Jetzt ist es nicht mehr gefährlich.«

»Na gut«, bemerkte Anna, »das erstaunt mich allerdings, dieser Polizist kam mir nicht besonders effektiv vor. Übrigens, bevor ich's vergesse, bitten Sie Mats doch, nach dem Kachelofen in Ihrem Zimmer zu schauen. Der Ofen zieht nicht, das hat er noch nie getan. Wenn das Wetter anhält, holen Sie sich sonst womöglich noch eine Erkältung. Oder sonst was«, fügte Anna abschließend hinzu und kehrte zu ihrem Buch zurück.

Gegen Abend brachte Katri Holz herein, um im Salon ein Feuer zu machen.

»Es ist ziemlich nass«, sagte sie. »Das Holz müsste überdacht werden. Ein Schuppen.«

»Das geht nicht. Papa wollte nie einen Schuppen haben.«

»Aber es wird eine Regenperiode geben.«

»Mein liebes Fräulein Kling«, sagte Anna, »wir haben das Holz immer an der Hauswand gehabt, und ein Schuppen würde die schönen Proportionen des Hauses zerstören.«

Katri lächelte auf ihre eigene, grimmige Art und bemerkte: »Na ja, so schön ist dieses Haus nun auch wieder nicht. Ich habe allerdings schon schlimmere aus der Zeit gesehen.«

Als das Feuer endlich brannte, setzte Anna sich davor und sagte: »So ein offenes Feuer ist doch was Schönes.« Und dann wie nebenbei: »Wie nett, dass Sie wieder Sie selbst zu werden scheinen.«

Am nächsten Tag erklärte Anna, dass sie ein kleines Fest zu dritt feiern wolle. Diesmal durfte Katri nicht in der Küche essen. Der Tisch musste mit Silber, Wein und Kerzen gedeckt werden. Anna überwachte alles sehr genau und änderte gewisse kleine

Details, die für jemand aus Katris Generation und mit ihrer Erziehung keine Selbstverständlichkeiten waren. Mats traf zur verabredeten Zeit ein, freundlich und etwas verlegen. Sie setzten sich zu Tisch. Anna hatte sich zum Essen umgezogen. Die Rolle der Gastgeberin hatte ihr noch nie Schwierigkeiten bereitet, aber heute war ihre Liebenswürdigkeit nicht so, wie sie sein sollte; nach einigen beliebigen Bemerkungen, die zu keinem Gespräch führten, ließ sie die Mahlzeit ihren Lauf nehmen und schien das Schweigen der Gäste nicht zur Kenntnis zu nehmen. Jedes Mal, wenn Katri aufstand, um zu bedienen, hob Anna hastig den Blick und sah wieder weg. Der Tisch unter dem Kristallkronleuchter, in dem alle Lichter brannten, sah sehr schön aus. Auch die Seitenlampetten waren an. Das Dessert kam herein.

Anna berührte ihr Weinglas, hob es aber nicht. Ihre plötzliche Unbeweglichkeit übertrug sich auf die Gäste, und einen Augenblick lang war das Zimmer reglos und stumm wie eine Fotografie.

»Aufmerksamkeit«, äußerte Anna, »jemand, der einem anderen Menschen seine ungeteilte Aufmerksamkeit schenkt, ist etwas sehr Seltenes. Ja, ich glaube wirklich, dass das nicht allzu oft vorkommt ... Es erfordert wahrscheinlich einiges an Einsicht und Überlegung, um dahinterzukommen, was ein anderer Mensch unausgesprochen braucht und wonach er sich sehnt. Und manchmal weiß man es ja kaum selbst, man glaubt vielleicht, dass man Einsamkeit braucht, oder vielleicht im Gegenteil Gesellschaft ... Man weiß es nicht, nicht immer ...« Anna verstummte, sie suchte nach Worten, hob das Glas und trank. »Dieser Wein ist sauer. Wahrscheinlich zu alt. Haben wir nicht irgendwo im Büfett einen ungeöffneten Madeira stehen? Nein, ist schon gut. Unterbrechen Sie mich nicht. Was ich sagen wollte, ist, dass es nur wenige Menschen gibt, die sich die Zeit nehmen, zu verstehen und zuzuhören, sich in die Daseinsweise eines anderen Menschen einzuleben. Neulich musste ich daran denken, wie bemerkenswert es ist, dass Sie, Fräulein Kling, meinen Namen so schreiben können, als hätte ich ihn selbst geschrieben. Das ist kennzeichnend für Ihre Umsicht und Fürsorge, die mir gilt und sonst niemandem. Sehr ungewöhnlich.«

»Das ist nicht besonders ungewöhnlich«, wandte Katri ein. »Mats, reich die Sahne weiter. Das hat ganz einfach mit Beobachtung zu tun. Man beobachtet gewisse Gewohnheiten und Verhaltensmuster, man sieht, wo etwas fehlt, was unvollständig ist, und das ergänzt man dann. Reine Routinesache. Etwas so gut wie möglich instand setzen. Dann wird man ja sehen ...«

»Was wird man dann sehen?«, fragte Anna irritiert.

»Wie es weitergeht«, antwortete Katri und sah Anna gerade ins Gesicht. In diesem Augenblick waren ihre Augen tatsächlich gelb. Sehr langsam fuhr sie fort: »Fräulein Aemelin, fast alles, was die Leute füreinander tun, bedeutet, als Tat betrachtet, recht wenig. Das Entscheidende ist der Zweck ihres Tuns, wohin sie damit wollen, was sie erreichen wollen.«

Anna setzte ihr Glas ab und sah Mats an. Er lächelte ihr zu, dem Gespräch war er nicht gefolgt.

»Fräulein Kling«, sagte Anna, »Sie zerbrechen sich den Kopf über eigenartige Dinge. Wenn jemand eine liebenswürdige Idee hat, mit der er einem anderen helfen oder ihm eine Freude machen will, dann ist das doch genau das, was es zu sein scheint ... Wie war das jetzt mit diesem Madeira? Von mir aus auch Portwein, je nachdem, was Sie finden. Nehmen Sie Papas beste Gläser, sie stehen oben rechts. Und unterbrechen Sie mich nicht, ich habe etwas zu sagen.« Anna wartete ungeduldig. Als die Gläser gefüllt waren, erklärte sie hastig, fast ärgerlich, da die obere Etage leer stehe, sei es doch eigentlich ein recht praktisches Arrangement, wenn Katri und Mats dort einziehen würden. Sie vergaß, darauf anzustoßen, erhob sich vom Tisch und wünschte ihnen einen angenehmen Abend, Diskussionen könnten bis zum folgenden Tag warten. Mats möge doch bitte die Klappen zuziehen, wenn das Feuer ordentlich heruntergebrannt sei.

Glücklich in ihrem Zimmer, wurde Anna von Entsetzen gepackt. Heftig zitternd stand sie innerhalb der Tür und wartete, aber Katri kam nicht. Katri hätte kommen sollen. Schließlich verkroch sich Anna unter der Decke und versteckte sich vor ihrem unwiderruflichen Entschluss: nicht mehr allein zu sein. Unter der Decke war es zu heiß. Die Stille dauerte zu lang. Anna warf die Decke beiseite und sprang aus dem Bett, der Salon war leer, im Flur stolperte sie über den Hund, an den sie sich noch nicht gewöhnt hatte, sie murmelte eine Entschuldigung und war endlich draußen im Schnee. Hinter ihr schlug die Tür im Wind. Nach ein paar Schritten in den Wald hinein kam die Kälte Anna wie eine beruhigende Warnung entgegen und ließ sie anhalten. Katri stand unbeweglich im Küchenfenster und wartete. Anna kam zurück, die Tür schlug hinter ihr zu, es war lange still. Und dann rief Anna laut und ärgerlich: »Fräulein Kling? Ihr Hund haart, die Haare sind überall, Sie müssen Ihren Hund kämmen!« Katri wartete, bis Annas Schritte weitergingen, dann atmete sie ein, einen tiefen Atemzug, und fuhr dann geräuschlos fort, das Geschirr zu spülen.

12

Edvard Liljeberg besorgte Katris Umzug mit seinem Auto. Der Umzug war sehr einfach: ein paar Pappkartons und zwei Koffer, ein kleiner Tisch und ein Bücherregal.

»Kein Problem«, sagte Liljeberg, »das ist ja mehr oder weniger nur von Tür zu Tür. Nicht jedes Dorf hat sein eigenes Transportunternehmen!« Es tat gut, ihn lachen zu hören. Katri hatte das Zimmer über dem Laden des Kaufmanns ausgescheuert, hatte mit einer Art sorgfältiger Raserei gescheuert, wie Frauen putzen, wenn sie nicht schlagen dürfen. Sie hatte die verstohlenen Gespräche der Nachbarn über Neid und schäbige Vorteile weggescheuert, sie hatte die schwarzen Gedanken sämtlicher Nächte weggescheuert, und am allermeisten hatte sie an der Schwelle gescheuert, wo der Kaufmann unter diesem und jenem Vorwand herumgestanden hatte, in hungriger Wachsamkeit hatte er dagestanden und auf ein Zeichen gewartet, um zu wissen, ob er weiter hassen musste oder ob er den allergeringsten Anhaltspunkt für seine Begierde hatte. Das Zimmer war klinisch rein und nackt geworden wie ein überspülter Schärenfelsen.

Liljeberg stellte die Koffer in den Lieferwagen. »So, Hexchen, spring auf«, sagte er. »Jetzt fährt Aschenbrödel ins Schloss!« Als er den Motor anließ, rief der Kaufmann: »Schönen Gruß an die Aemelin! Sag ihr, dass ich Kaninchenfleisch hereinbekommen habe! Ganz frisch geschlachtet! Extra für sie …«

Die Dorfkinder rannten ein Stück weit schreiend hinter dem Auto her und bewarfen es mit Schneebällen.

»Recht so«, sagte Liljeberg und lächelte Katri an. »Jeder Schritt nach oben muss von großem Trara begleitet werden.«

Anna rief ihre Jugendfreundin Sylvia an, die im Städtchen wohnte, da ihr sonst niemand einfiel, den sie in aller Eile hätte anrufen können.

»Das war aber lange her«, sagte Sylvias beherrscht klangvolle Stimme. »Wie geht es dir dahinten in den Wäldern?«

»Gut, mir geht es gut ...«

Anna war außer Atem, jetzt konnten sie jeden Moment kommen; hastig und in falscher Reihenfolge versuchte sie ihrer Freundin mitzuteilen, was geschehen sei – Katri, Mats, der Hund ... alles würde anders werden, alles ...

»So, hast du Untermieter bekommen?«, fragte Sylvia. »Das hast du doch nicht nötig. Ich meine, in dieser Hinsicht bist du doch völlig unabhängig. Übrigens, arbeitest du wieder an etwas Neuem, an einem kleinen Märchen oder so?«

Sylvias Interesse für Annas Arbeit war immer etwas sehr Wichtiges gewesen, nur jetzt im Augenblick gerade nicht. Anna erwiderte unwirsch, im Winter arbeite sie nie, das müsse Sylvia doch wissen, und dann fuhr sie fort, völlig kopflos über Katri zu reden, während sie durchs Verandafenster auf die Landstraße hinunterzuschauen versuchte.

»Du liebe Güte«, sagte Sylvia in einer Pause, »du klingst ja so echauffiert. Fehlt dir irgendetwas?«

»Nein, nein, mir geht's gut ...«

Annas Freundin begann gewisse Veränderungen zu beschreiben, die sie in ihrer Wohnung vorgenommen hatte, und erzählte von dem neugegründeten Mittwochsverein für Kultur, Anna solle doch unbedingt auch eintreten und überhaupt endlich zu einem Besuch herüberkommen, es sei schlecht, sich nie zu bewegen, das wisse sie selbst nur zu gut, nach all den Jahren als Witwe. Man dürfe sich nicht isolieren, das bringe so viele Gedanken mit sich ...

»Aber ich bin ja gar nicht isoliert!«, unterbrach Anna sie. »Das versuche ich dir ja die ganze Zeit zu erzählen! Wir werden zu viert sein, mit dem Hund sind wir zu viert ...«

Jetzt kam Liljebergs Auto.

»Sie kommen«, flüsterte Anna, »Ich muss aufhören ...«

»Nun ja, wir sprechen uns bald wieder. Pass nur gut auf dich auf und triff keine übereilten Entscheidungen. Mit Untermietern kann man nicht vorsichtig genug sein, darüber hat man ja schon genügend gehört. Und wie gesagt, schau doch mal in meine einfache Hütte herein, wenn du Lust hast.«

»Jaja, natürlich ... Auf Wiedersehen, ich sage jetzt lieber auf Wiedersehen, auf Wiedersehen ...«

»Auf Wiedersehen, Annilein.«

Jetzt kamen sie den Weg herauf. Anna stand dicht neben dem Fenster und sah sie kommen; in einem plötzlichen primitiven Impuls, einfach davonzulaufen, so weit wie möglich zu fliehen, hatte ihr Herz zu hämmern begonnen, wie albern, warum benahm sie sich nur so unmöglich ... und zu Sylvia war sie auch unfreundlich gewesen, und dabei bewunderte sie ihre Freundin doch so sehr und hatte sie so gern, sie hatte mit lauter Stimme gesprochen und war ungeduldig geworden, obwohl Sylvia nur fürsorglich gewesen war und sogar daran gedacht hatte, nach ihrer Arbeit zu fragen ... Es war falsch gewesen, sie anzurufen. Aber sie hatte gehofft, dass jemand, dem sie vertraute, ihr aufmerksam zuhören, ihr Fragen stellen und vielleicht sogar sagen würde: »Aber das klingt doch gut!«. Oder: »Meine liebe Anna, was für ein aufregender Entschluss! Du weißt wirklich, was du willst, und machst es dann auch – einfach so!«

Mats und Anna gingen die Treppe ins Obergeschoss hinauf, er sagte: »Können Sie sich vorstellen, dass ich bisher noch nie ein eigenes Zimmer gehabt habe?«

»Tatsächlich? Wirklich erstaunlich. Also, ich hatte mir das so gedacht, wenn Katri in dem rosa Gästezimmer wohnt, dann könntest du ja das blaue nehmen. Das war zu seiner Zeit sehr beliebt.«

Sie blieben in der Tür stehen und schauten hinein. Mats sagte nichts.

Schließlich fragte Anna: »Gefällt es dir nicht?«

»Es ist unglaublich schön. Aber wissen Sie, es ist zu groß.«

»Wieso zu groß?«

»Ich meine, für einen einzigen Menschen. An so große Zimmer bin ich nicht gewöhnt.«

Anna sah bekümmert aus, sie erklärte, kleinere gebe es nicht.

»Sind Sie sicher? Wenn man so ein großes Haus baut, bleiben doch meistens irgendwelche Abstellräume übrig, irgendjemand macht Fehler bei der Berechnung, und dann entstehen irgendwo Kammern unterm Dach.«

Anna überlegte und sagte dann: »Da wäre noch das Dienstmädchenzimmer. Aber das steht voller Gerümpel und ist schon immer zu kalt gewesen.«

Sie gingen ins Dienstmädchenzimmer, und dort war es tatsächlich sehr kalt. Möbel, Gegenstände, Sachen, die einmal Gegenstände gewesen waren, und Teile von unbestimmbaren Sachen, alles willkürlich gegen das schräge Dach aufgestapelt, eine chaotische Mauer, durchbrochen vom Winterlicht, das durch das Fenster ganz hinten in dem korridorschmalen Zimmer hereindrang.

»Das hier wird gut«, sagte Mats. »Sehr gut. Wo kann ich all die Sachen hintun?«

»Ich weiß nicht so genau … Bist du sicher, dass es dir gefallen würde, hier zu wohnen?«

»Ganz sicher. Aber wo soll ich all die Sachen hintun?«

»Wohin du willst. Irgendwohin … Ich glaube, ich ziehe mich ein Weilchen zurück …« Das Zimmer hatte Anna erschreckt, es kam ihr bedrohlich vor und von heftiger Melancholie erfüllt. Sie ging weg, aber das Zimmer verfolgte sie.

Sehr frühe Bilder tauchten auf, Bilder vom Dienstmädchen Beda, das als junges Mädchen zu ihnen gekommen war und immer in dem fürchterlichen Zimmer dort oben gewohnt hatte. Beda, die allmählich umfangreich und schläfrig geworden war, die immer nur schlief, wenn sie frei hatte, sie zog sich eine Menge Decken über den Kopf und schlief einfach. Wie schrecklich, dachte Anna. Ich weiß noch, sie haben mich dort hinaufgeschickt, wenn Beda gebraucht wurde, und jedes Mal, wenn ich kam, schlief sie nur.

Was ist dann aus ihr geworden? Zog sie um, wurde sie krank … Ich kann mich nicht mehr erinnern. Und all diese Möbel, wo hatten wir die eigentlich, ich habe sie nicht wiedererkannt, aber sie müssen ja irgendwo gestanden, müssen irgendeine Bedeutung gehabt haben … Irgendwann müssen sie für irgendjemanden eine Bedeutung gehabt haben …

Anna lag auf ihrem Bett und sah an die Decke. Um die Deckenlampe wand sich ein kleiner Kranz aus Gipsrosen, die sich in einer langen Girlande rings um das Schlafzimmer wiederholten. Sie horchte. Schwere Gegenstände wurden dort oben herumgeschleift und krachend fallen gelassen. Schritte, die kamen und gingen, und Pausen voller Stille, die Annas Gehör aufs Äußerste anspannten – jetzt wieder, irgendetwas wurde geschleppt, fiel hin, dort oben wechselte alles den Platz, all das Vergangene, das ebenso fern und ungestört wie die unschuldige Kuppel des

Himmels über Anna Aemelins Schlafzimmer geruht hatte, war in hastiger Veränderung begriffen.

»Trotzdem«, sagte Anna zu sich selbst, »jeder darf es doch so haben, wie es ihm passt, und ich werde jetzt schlafen.« Sie zog das Federbett über den Kopf, aber schlafen konnte sie nicht.

»Aber wo ist das alles denn geblieben? Wo habt ihr dafür Platz gefunden?«

»Wir haben keinen Platz dafür gefunden«, antwortete Katri. »Das meiste haben wir aufs Eis hinausgetragen, und den Rest hat Liljeberg in die Auktionshalle im Städtchen mitgenommen. Wenn es dort verkauft wird, bringt er das Geld mit. Aber viel wird es wohl kaum werden.«

»Fräulein Kling«, sagte Anna, »sind Sie sicher, dass Sie da nicht ziemlich eigenmächtig gehandelt haben?«

»Das mag sein«, antwortete Katri. »Aber überlegen Sie doch mal, Fräulein Aemelin, wenn wir Ihnen jetzt jedes ausrangierte Möbelstück vorgestellt hätten, jeden einzelnen dieser traurigen Gegenstände, Dinge ohne Sinn. Sie wären dagestanden und hätten versucht zu entscheiden, was aufgehoben und was weggeworfen oder verkauft werden sollte. Jetzt ist alles beschlossen und entschieden. Ist das nicht gut?«

Anna schwieg.

Schließlich sagte sie: »Vermutlich. Aber es war trotzdem sehr eigenmächtig von Ihnen.«

Weit draußen auf dem Eis lag ein schwarzer Gerümpelhaufen und wartete auf das Aufgehen des Eises, ein Denkmal für Papas und Mamas totales Unvermögen, sich jemals von ihren Besitztümern zu trennen. Seltsam, dachte Anna, das Eis geht auf, und alles versinkt und verschwindet ganz einfach hinunter in die Tiefe, ist fort. Das ist kühn, das ist beinahe unverschämt. Das muss ich Sylvia erzählen. Später überlegte sie, dass vielleicht gar nicht alles versinken würde, vielleicht würde es an einen anderen Strand getragen, wo ein Fremder es finden und sich fragen würde, woher und warum. Auf jeden Fall war das hier in keiner Weise Annas Schuld.

13

Die Stille kehrte ins Kaninchenhaus zurück. Mats bewegte sich ebenso lautlos wie seine Schwester, und Anna war sich nie sicher, ob er daheim war oder nicht. Ab und zu begegneten sie sich zwischen zwei Türen, dann blieb Mats stehen, wartete aus der ihm eigenen, persönlichen Ritterlichkeit heraus einen Augenblick lang und schenkte ihr ein Lächeln, neigte den Kopf und ging weiter. Anna empfand etwas von derselben Schüchternheit, die Katri immer vor ihrem Bruder empfunden hatte; bei diesen Begegnungen fiel ihr nichts zu sagen ein, und außerdem fand sie es unhöflich, ihn mit jenen Alltagsbemerkungen zu stören, die man nur deshalb auf einer Treppe austauscht, weil man zufällig aneinander vorbeigeht.

Mats und Anna trafen sich einzig und allein in ihren Büchern, alles Übrige war gegenseitig respektiertes Niemandsland. Manchmal hörte Anna irgendwo im Haus Hammerschläge, sie ging aber nicht hin. Genau wie im Bootsschuppen arbeitete Mats, ohne bemerkt zu werden und ohne vorzuzeigen, was er getan hatte. Er wanderte einfach durchs Haus, stellte fest, was nicht in Ordnung war, und reparierte es dann. Im Kaninchenhaus war einiges zusammengesackt und verschlissen und morsch, nicht allzu viel, es war nur eben ein altes Haus, das allmählich müde wurde. Erst nach einiger Zeit fiel es Anna auf, dass die Türen nicht mehr knarrten oder sich ein Fenster wieder öffnen ließ; es zog nicht mehr, eine vergessene Lampe brannte plötzlich wieder, viele kleine Fürsorglichkeiten, die sie erfreuten und verwunderten.

Überraschungen, dachte Anna, ich lasse mich so gern überraschen. Als ich klein war, versteckten sie überall im Haus Ostereier, die ich dann suchen musste, kleine, schön verzierte Ostereier mit gelben Federchen dran ... Man kam herein. Man schaute hierhin, dorthin, suchte überall. Und da war plötzlich der gelbe Flaum, er schaute gerade so viel hervor, dass man ihn finden konnte ...

Anna versuchte Mats zu danken, als sie abends in der Küche Tee tranken, aber sie merkte ziemlich bald, dass sie ihn nur verlegen machte, und sagte daher nichts mehr. Sie lasen einfach weiter in ihren Büchern, und alles war so, wie es sein sollte.

In dieser Zeit wurde Anna sich auf eine neue, beunruhigende Art dessen bewusst, was sie mit ihrer Zeit anfing und was sie zu tun unterließ. Mit jedem Tag, der verging, begann sie mehr und mehr ihr eigenes Verhalten zu beobachten, ihr Verhalten während der Tage, die so lange unbemerkt hatten verstreichen dürfen. Als Anna noch mit sich selbst allein gelebt hatte, hatte sie nicht bemerkt, wie oft sie die Tagesstunden in Schlaf verschwinden ließ: den Schlaf weich wie Nebel, sanft wie Schnee näher kommen lassen, denselben Satz immer wieder von vorne lesen, bis er in den Nebel hineingleitet und überhaupt nichts mehr bedeutet, plötzlich wieder aufwachen und sich auf der Buchseite zurechtfinden und weiterlesen, und es ist, als hätte man nur ein paar Sekunden verloren. Jetzt ging es Anna auf, dass sie jedes Mal geschlafen hatte, und zwar ziemlich lange. Niemand wusste davon, niemand störte sie dabei, aber dennoch wurde das einfache, unwiderstehliche Bedürfnis, in ein Nickerchen hineinzuverschwinden, zu etwas Verbotenem. Sie wachte mit einem Ruck auf, riss die Augen auf, packte ihr Buch mit festem Griff und horchte. Es war ganz still. Aber irgendjemand war über ihre Zimmerdecke gegangen.

Anna Aemelin ging nicht mehr in den frühen Abendstunden zu Bett; sonst war es ihr immer natürlicher erschienen, der Mahnung zu folgen, die Dunkelheit und Unlustgefühle mit sich brachten, als sich nach der Uhr zu richten; jetzt versuchte sie sich wach zu halten und hörbar durch ihr Zimmer zu stapfen, damit die da oben keinesfalls glauben sollten, sie sei nicht mehr ganz auf Draht. Und wenn Anna sich dann endlich gestattete, ins Bett zu gehen, konnte sie nicht schlafen, sondern lag wach und horchte auf das neue, geheimnisvolle Leben des Hauses, auf die sehr schwachen, unbestimmbaren Geräusche; es war, wie wenn man einem wichtigen, aber unendlich fernen Gespräch zu folgen versuchte und hier ein Wort und dort einen Satzfetzen auffing, ohne je den Zusammenhang klar zu erfassen.

Eines Abends, als Anna wieder nicht einschlafen konnte, wurde sie plötzlich sehr ärgerlich. Sie zog ihren Morgenrock an, schlüpfte in ihre Hausschuhe und schlurfte in die Küche hinaus, um sich ein Glas Saft zu holen und ein Butterbrot zu machen. Der Hund lag neben der Küchentür und folgte ihren Bewegungen mit seinem gelben Blick, das große Tier lag unbeweglich da, wie eine Skulptur, nur seine Augen bewegten sich.

»Bleib gefälligst liegen«, flüsterte Anna und machte ihren üblichen Umweg.

Im Kühlschrank herrschte eine neue Ordnung, alles war in Plastikfolie eingewickelt, sodass kein Mensch wissen konnte, was sich darin befand, ohne vorher alles auszupacken; übrigens war die ganze Küche eine andere Küche; was eigentlich verändert war, konnte Anna nicht feststellen, aber auf jeden Fall war es nicht mehr ihre Küche. Wenn Anna früher, als alles noch wie immer war, mitten in der Nacht Lust auf einen Happen bekommen hatte, war sie einfach in die Küche gegangen, hatte zum Beispiel am Spültisch eine Dose Erbsen geöffnet und sie kalt ausgelöffelt, während sie friedlich den dunklen Hinterhof betrachtete, dann aß sie noch einen Löffel Marmelade direkt aus dem Marmeladetöpfchen und begab sich beruhigt in ihr Bett zurück.

Jetzt war alles anders.

Selbst in dem unschuldigen Vorhaben, einen Schluck Saft zu trinken, holte Anna die Flasche mit ängstlicher Eile heraus, als tue sie etwas Verbotenes, und schenkte sich den Saft so unachtsam ein, dass die dicke rote Flüssigkeit über den Spültisch hinausrann. Und schon war natürlich Katri da, lautlos wie immer war sie hereingekommen, und jetzt stand sie da und beobachtete, was Anna trieb.

»Ich habe plötzlich Lust auf ein Schlückchen Saft bekommen«, erklärte Anna. Katri sagte: »Einen Moment, ich wische das weg«, sie nahm einen Lappen, der sofort mit Rot getränkt wurde, und wand ihn im Spülbecken aus.

»Lassen Sie das«, rief Anna aus, »ich will nur Wasser haben, nur ein wenig Wasser!« Und damit drehte sie den Wasserhahn so heftig auf, dass das Wasser auf den Boden hinausspritzte.

»Wäre es nicht nett, nachts ein Tablett neben dem Bett zu haben?«, schlug Katri vor.

»Nein«, antwortete Anna. »Ich will es nicht nett haben.«

»Aber dann bräuchten Sie nicht mehr extra in die Küche hinauszugehen.«

»Fräulein Kling«, entgegnete Anna, »vielleicht habe ich Ihnen schon erzählt, dass Papa seine Zeitungen nie ins Haus gebracht haben wollte, er wollte sie selbst holen. Jeden Tag ging er zum Kaufladen, holte seine Zeitung und las sie als Erster von allen. Werfen Sie diesen Lappen bitte in den Mülleimer.«

Anna setzte sich an den Tisch und wiederholte: »Werfen Sie ihn weg. Sie werfen doch sonst immer alle Sachen weg, die nicht gebraucht werden.«

»Fräulein Aemelin, werden Sie von uns dort oben gestört?«
»Überhaupt nicht. Sie sind unhörbar. Sie scheinen ja nur auf
Zehenspitzen durch die Zimmer zu huschen.«
Katri blieb am Spültisch stehen, sie holte die Zigaretten aus der
Tasche, besann sich dann aber und steckte die Schachtel wieder
zurück.
»Bitte«, sagte Anna scharf, »rauchen Sie ruhig. Papa rauchte
immer Zigarren.«
Nachdem Katri ihre Zigarette angesteckt hatte, sagte sie ziem-
lich langsam und tastend:
»Fräulein Aemelin, könnten wir nicht versuchen, das Ganze so
zu sehen: Wir haben eine ganz sachliche Übereinkunft getroffen.
Mats und ich haben sehr von dem Ganzen profitiert, aber wenn
Sie es sich überlegen, haben Sie auch einen Nutzen davon. Es
handelt sich um eine Art Tauschhandel, gegenseitige Leistungen
in natura. Gewisse Dienste wiegen gewisse Vergünstigungen auf.
Ich weiß, dass es Nachteile gibt, aber die werden sich geben. Wir
müssen uns fügen, so wie man sich in einen freiwilligen Vertrag
fügt. Können wir es nicht ganz einfach als einen Vertrag mit
Pflichten und Rechten sehen?«
»Leistungen in natura«, wiederholte Anna mit übertriebener
Verwunderung und sah an die Decke.
»Ein Vertrag«, fuhr Katri ernst fort, »ein Vertrag ist eigentlich
eine viel erstaunlichere Angelegenheit, als man gemeinhin an-
nimmt. Ein Vertrag bindet einen nicht nur, ich habe gemerkt,
dass manche Leute sich erleichtert fühlen, wenn sie nach einem
Vertrag leben können. Das befreit sie von Unschlüssigkeit und
Verwirrung, sie brauchen nicht mehr zu wählen. Man hat vereinbart, zu teilen und jeweils einen Teil der Verantwortung zu
übernehmen, das ist, oder müsste es sein, ein überlegter Entschluss, in dem man wenigstens versucht hat, gerecht zu sein.«

»Das glaube ich schon«, bemerkte Anna. »Sie versuchen, gerecht zu sein.« Sie legte die Arme auf den Tisch, um ihren Rücken auszuruhen, und spürte, wie der Schlaf näher kam.

»Gerechtigkeit«, fuhr Katri fort, »kein Mensch kann mit absoluter Sicherheit wissen, ob er gerecht und ehrlich gewesen ist oder nicht. Aber man versucht es trotzdem, so gut es eben geht ...«

»Jetzt predigen Sie«, unterbrach Anna sie und stand auf. »Sie wissen immer alles so genau. Liebes Fräulein Kling, soll ich Ihnen etwas sagen? Man mag dies planen und jenes planen, aber letzten Endes behält man den Schwanz doch immer hinten.«

Katri begann zu lachen.

»Ja, das hat Mama immer gesagt«, fuhr Anna fort, »wenn ihr langatmige Erklärungen und Ermittlungen zu viel wurden. So, jetzt gehe ich wieder ins Bett.« In der Tür drehte sie sich um.

»Fräulein Kling, eines möchte ich Sie noch fragen: Regen Sie sich eigentlich nie auf, und geben Sie nie eine übereilte Bemerkung von sich?«

»Ich rege mich schon auf«, antwortete Katri, »aber ich glaube nicht, dass ich übereilte Äußerungen mache.«

Anna Aemelin gewöhnte sich daran, dass ihr Haus unsichtbar bevölkert war. Ihr ganzes Leben lang hatte sie sich an so mancherlei gewöhnt, bis es nicht mehr gefährlich erschien, jetzt verhielt sie sich genauso. Ziemlich bald hörte sie ebenso wenig, dass jemand über ihre Zimmerdecke ging, wie sie Wind, Regen oder die Salonuhr wahrnahm. Das Einzige, woran Anna sich nicht gewöhnen konnte, war der Hund, sie machte immer noch einen Bogen um ihn herum. Wenn sie an ihm vorbeigekommen war, begann sie flüsternd mit dem regungslosen Tier zu sprechen. Flüsternd teilte sie ihm manche Ansichten mit, die ausgesprochen werden mussten und denen nicht widersprochen werden durfte. Anna hatte dem Hund einen Namen gegeben, da das Namenlose eine Tendenz zeigt, zu wachsen; sie nahm dem Tier seine Gefährlichkeit, indem sie es Teddy nannte. Anna wusste sehr wohl, dass Katris Hund dressiert war und nicht gestört werden durfte, und wenn sie ihm verstohlen Essensreste zuwarf, geschah das nicht aus Freundlichkeit. »Friss«, flüsterte sie, »lieber kleiner Teddy, beeil dich und friss, bevor sie kommt ...« Manchmal, wenn sie an dem wachsamen gelben Blick vorbeiging, konnte sie ihn auch anfauchen: »Bleib ja auf deinem Teppich, du schreckliches großes Tier!«

14

»Sylvia«, rief Anna. »Bist du da? Ich habe schon so oft versucht, dich anzurufen, aber du bist immer unterwegs ... Störe ich dich, hast du Besuch?«

»Das sind nur meine Damen«, sagte Sylvia. »Heute ist Mittwoch, wie du weißt.«

»Was für ein Mittwoch?«

»Der Kulturverein«, sagte Sylvia und sprach dabei sehr deutlich.

»Ach ja. Natürlich ... Kann ich später noch einmal anrufen?«

»Du kannst jederzeit anrufen; ich freue mich immer, von dir zu hören.«

»Sylvia, kannst du nicht herkommen? Es ist mir wirklich ernst, kannst du nicht herkommen und mich besuchen?«

»Natürlich kann ich das«, sagte Sylvias Stimme, »es klappt nur nie – aber irgendwann müssten wir uns wirklich wieder einmal treffen und von alten Zeiten reden. Mal sehen. Wir sprechen uns wieder, nicht?«

Anna blieb lange beim Telefon stehen, starrte durch das Fenster auf die Schneewehe hinaus, ohne sie zu sehen, und wurde von einer großen Traurigkeit ergriffen.

Ein Mensch, den man zu sehr bewundert hat und zu selten trifft und dem man Dinge anvertraut hat, die man für sich hätte behalten müssen, stimmt einen unweigerlich traurig.

Sylvia war die Einzige, mit der Anna vorbehaltlos über ihre Arbeit gesprochen hatte, der sie prahlerischen Stolz und grausame

Enttäuschungen völlig unzensiert vorgelegt hatte – und das alles ruhte jetzt bei Sylvia, im Laufe der Jahre in einer kompakten Masse aus übereilten Vertraulichkeiten begraben.

Ich hätte nicht anrufen sollen, dachte Anna. Aber sie ist die Einzige, die mich kennt.

15

Husholms Emil hatte seine Eislöcher ein paar hundert Meter vom Ufer und den Fischschuppen entfernt im Eis, manchmal holte er die Netze mit seiner Frau und manchmal mit Mats ein. Das Netz selbst holte immer er persönlich herauf, sein Begleiter musste nur die Leine auslassen. Meistens war die Beute nicht groß, ab und zu ein Dorsch zum Hausgebrauch. Eines Tages war Husholms Emil mit Mats draußen bei den Eislöchern, der Schnee, der herabfiel, war nass, und es war ziemlich warm. Emil hackte das über Nacht entstandene Eis am Rand des Lochs auf, und Mats schaufelte es weg, bis das Wasser sauber war.

»So«, sagte Emil, »und jetzt habe ich eine kleine Überraschung für dich. Diesmal darfst du das Netz einholen, und ich übernehme die Leine. Das wirst du doch bestimmt schaffen.«

Der Junge schien ihn nicht zu verstehen, daher fuhr Emil fort: »Nun, ein Netz wirst du doch noch heraufziehen können. Dachte mir, dass es ganz nett für dich sein müsste, mal so eine verantwortungsvolle Aufgabe zu übernehmen.«

Die durch ihre Gutmütigkeit verschärfte Kränkung erreichte Mats nur langsam. Jetzt stolperte Husholms Emil, vom Schneeregen fast verborgen, zu seinem eigenen Netzende hinüber. Dort angekommen, stand er bereit und wartete mit der Leine, schließlich schrie er: »Na, wird's bald! Kannst du nicht einmal ein Netz heraufholen?«

Da fuhr der Zorn in Mats, sein seltener Zorn, den außer Katri niemand kannte, er packte die Randleine und spürte das lebendige Gewicht des Netzes. Während der Zorn in ihm aufstieg, blieb er regungslos stehen.

»Na?«, schrie Emil, der jetzt seinerseits wütend war. »Zieh! Du bist doch schließlich kein Dorftrottel.«

Mats zog sein Messer heraus und schnitt die Randleine durch, worauf das Netz unters Eis hinuntersank; dann drehte er sich um und ging zum Strand zurück, am Bootsschuppen vorbei, die Straße hinauf und verschwand hinterm Kaninchenhaus im Tannenwald. Der Schnee war schon taunass, und Mats versank bei jedem Schritt bis über den Stiefelschaft darin, schließlich blieb sein einer Stiefel stecken, und sein Fuß fuhr, nur mit dem Socken bekleidet, heraus. Mit einem Fluch rammte er das Messer in einen Baumstamm, da steckte es nun, und dort blieb es auch stecken.

Mats begegnete Anna im Flur, er blieb kurz stehen und neigte den Kopf mit seinem üblichen respektvollen Gruß. Als er weiterging, erwähnte Anna im Vorbeigehen, dass neue Bücher aus dem Marktflecken gekommen seien.

Über das abgeschnittene Netz wurde viel geredet. Husholms Emil sagte: »Der arme Kerl ist verrückt. Er ist lieb und harmlos, aber verrückt, das ist eindeutig. Ich wollte ihn das Netz einholen lassen, Jungen haben an so was ja Spaß, und dann stand er einfach da und guckte, und da bin ich ein wenig ärgerlich geworden und habe kurz geschrien, das war alles.«

»Dass Sie es wagen, ihn im Bootsschuppen zu behalten«, bemerkte Frau Sundblom, und der Kaufmann gab zu bedenken, niemand könne garantieren, dass die lange Bohnenstange nicht eines Tages die Boote zusammenhaue, schlechtes Blut lasse sich eben nicht verleugnen, da komme man nicht darum herum, so eine Veranlagung schlage immer wieder durch!

»Jetzt solltet ihr vielleicht lieber den Mund halten«, sagte Edvard Liljeberg. »Wenn es nach Mats ginge, würde er die Boote mit Samthandschuhen anfassen, so vorsichtig geht er mit ihnen um, und das, was er machen soll, macht er gut, nur eben langsam. Aber man kann ihm unbedenklich jede kleinere Arbeit überlassen. Geben Sie mir bitte ein Bier.«

»Und trotzdem«, hackte Frau Sundblom weiter, »beide haben eine schlechte Veranlagung, ich will ja nichts sagen, aber eines schönen Tages ... Ich meine nur – dass Sie das wagen!«

»Ich wage es schon«, sagte Liljeberg. »Ich glaube an diesen Jungen. Und an seine Schwester glaube ich auch. Sie ist vielleicht nicht immer ganz einfach, aber sie hat ihn von klein auf großgezogen, sie hat Courage, und sie belügt keinen Menschen. Was soll das Geschrei überhaupt?«

»O ja, die kann ihr Geschäft! Auf jeden Fall haben sie jetzt ihr Schäfchen im Trockenen. Dass die Aemelin betucht ist, weiß ja jeder!«

»Halt's Maul, du Waschweib!«, entfuhr es Liljeberg, sein Bruder packte ihn warnend am Arm, und die Sundblom schoss so heftig vom Tisch hoch, dass die Kaffeetasse umkippte.

»Da seht ihr es selbst«, sagte Edvard Liljeberg, »jeder kann mal wütend werden und sich schlecht benehmen. Aber das ist immer noch besser, als boshaft zu sein. Und jetzt werde ich euch etwas sagen, was ihr gerne weitersagen dürft – nämlich, dass die Klings ehrliche Leute sind. Und wenn sie etwas tun, hat das mehr Gründe, als wir begreifen können.«

Damit verließ er den Laden.

16

»Fräulein Kling, es ist sehr fürsorglich von Ihnen, meine Post zu öffnen. Aber ich habe eine kleine Eigenheit, die Ihnen vielleicht kindisch erscheinen mag, ich öffne meine Briefe gern selbst mit dem Brieföffner. Das ist, wie wenn man ein neues Buch aufschneidet oder Mandarinen schält. Ein geöffneter Brief ist nie dasselbe.«

Katri betrachtete Anna und runzelte dabei so stark die Brauen, dass sie fast einen zusammenhängenden Flügel über ihren Augen bildeten.

»Ich verstehe«, sagte sie. »Aber ich öffne sie nur, um festzustellen, was man wegwerfen kann.«

»Aber mein liebes Fräulein Kling!«, rief Anna aus.

»Ja, Sachen, um die Sie sich nicht zu kümmern brauchen, Reklame, Bettelbriefe, alle, die hinterm Geld her sind und Sie zu betrügen versuchen.«

»Aber wie können Sie das denn wissen?«

»Ich weiß es. Ich fühle es. Betrug riecht von Weitem, und alles, was riecht, werfe ich weg.«

Anna verstummte. Schließlich bemerkte sie, dass auch Fürsorglichkeit zu weit gehen könne. Der Schaden sei jetzt leider schon geschehen, aber in Zukunft solle Katri die ausgesonderten Briefe für spätere Durchsicht irgendwohin legen.

»Wohin denn?«

»Zum Beispiel irgendwo auf den Dachboden ...«

»Gut«, versetzte Katri und lächelte. »Irgendwo auf den Dachboden. Und hier sind die Rechnungen vom Kaufladen, ich habe sie jetzt seit Langem überprüft. Der Kaufmann betrügt Sie systematisch. Nicht um viel, hier fünfzig Penni, dort eine Mark, aber er tut es.«

»Der Kaufmann? Das ist unmöglich.« Anna blätterte lustlos die undeutlichen, mit Blaustift geschriebenen Rechnungen durch, sie schob sie von sich weg und sagte: »Jaja, ich erinnere mich, Sie sagten etwas darüber, dass er boshaft sei, das hatte damals etwas mit Leber zu tun ... Fünfzig Penni hin und fünfzig Penni her ... Und übrigens, warum sollte ausgerechnet er besonders boshaft sein?«

»Fräulein Aemelin, das hier ist wichtig. Ich bin davon überzeugt, dass er Sie betrogen hat. Bewusst. Vermutlich schon von Anfang an. Mit der Zeit ergibt das große Summen.«

»Boshaft?«, wiederholte Anna. »Und dabei ist er doch immer so höflich und liebenswürdig ...«

»Die Leute zeigen eben das eine und denken das andere ...«

»Aber warum sollte der Kaufmann mich nicht mögen?«, fragte Anna unschuldig erstaunt. »Es ist doch so einfach, mich zu mögen ...«

Katri ließ sich nicht ablenken und fuhr ernst fort: »Lassen Sie mich über die Rechnungen sprechen. Sie dürfen mir glauben, sie stimmen wirklich nicht. Ich kann rechnen, und zwar schnell. Wir müssen diese Sache besprechen.«

»Aber warum? Ist das denn notwendig? Sie wollen ihn doch nicht etwa strafen?«

Katri bemerkte sehr kurz, dass Anna natürlich tun müsse, was sie für richtig halte, aber sie müsse wenigstens wissen, was vor sich gehe.

»Ja, ja«, sagte Anna friedlich, »es gibt so vieles, über das man sich Sorgen machen könnte.« Und wie eine Art Erklärung fügte sie hinzu: »Dieses und jenes ... nicht wahr ...?«

Anna Aemelin saß an ihrem Sekretär und beantwortete Briefe von kleinen Kindern. Sie hatte ihre Briefe in drei Haufen geordnet – der Haufen A stammte von den ganz Kleinen, die ihr in Bildern ihre Bewunderung schenkten, meistens Zeichnungen von Kaninchen, und wenn Text dabei war, dann hatten ihn meistens die Mütter geschrieben. Haufen B enthielt Wünsche, die oft sehr eilig waren, vor allem, wenn es um Geburtstage ging. Nummer C nannte Anna »Die bedauernswerten Kleinen«, und hier war große Sorgfalt und Überlegung vonnöten. Aber sowohl A und B als auch C wollten wissen, wie es kam, dass die Kaninchen geblümt waren. Anna hatte mehrere Erklärungen für die Geblümtheit ihrer Kaninchen parat; wenn sie einfach einen Anlauf nahm und unüberlegt drauflosschrieb, ging es meistens ganz gut. Aber heute konnte Anna sich zum ersten Mal überhaupt keinen Grund ausdenken, weder einen poetischen noch einen humoristischen oder vernünftigen. Die Geblümtheit war ganz einfach ein unsachliches Phänomen, das ihr plötzlich einfältig und gänzlich ohne Charme zu sein schien. Schließlich ging sie dazu über, nur noch Kaninchen zu zeichnen, auf jeden Briefbogen ein Kaninchen, die sie anschließend alle geblümt machte. Weiter kam sie jedoch nicht. Anna wartete lange. Sie ärgerte sich über sich selbst, und schließlich streifte sie wütend Gummibänder über A, B und C und nahm sie mit zu Katri hinauf.

Das rosa Gästezimmer sah aus wie immer, aber dennoch fremd, vielleicht auch nur größer und leerer. Das Fenster war angelehnt, es war kalt im Zimmer und roch säuerlich nach Rauch. Katri hatte gerade gehäkelt, jetzt legte sie die Arbeit aus der Hand und stand auf.

»Fühlen Sie sich hier wohl?«

»Ja, sehr.«

Anna ging zum Fenster hinüber, fröstelte, drehte sich um und blieb mit ihren Briefen in den Händen mitten im Zimmer stehen.

»Soll ich das Fenster schließen?«

»Nein. Fräulein Kling, das, was Sie über Vereinbarungen sagten … Dass beide Teile Pflichten und Rechte haben. Sehen Sie sich das hier mal an.«

Anna legte ihre Briefe auf den Tisch. »Die Kinder fragen und fragen. Ist es meine Pflicht, zu antworten? Welche Rechte habe ich?«

»Das Recht, nicht zu antworten«, sagte Katri.

»Das kann ich nicht.«

»Aber Sie haben doch mit den Kindern gar nichts vereinbart.«

»Was meinen Sie damit – vereinbart?«

»Ich meine ein Versprechen. Bisher haben Sie jedem Kind nur einmal geschrieben, nicht wahr? Und Sie haben nichts versprochen.«

»Na ja, wie es sich eben so ergibt …«

»Manchen Kindern haben Sie also schon häufiger geschrieben?«

»Was soll ich denn tun? Sie schreiben und schreiben und glauben, ich sei ihre Freundin …«

»Dann ist es ein Versprechen.« Katri schloss das Fenster. »Sie zittern«, sagte sie, «setzen Sie sich doch, Fräulein Aemelin. Ich gebe Ihnen eine Decke.«

»Ich will keine Decke. Und ich habe niemandem etwas versprochen. Ich verstehe nicht, was Sie meinen.«

»Wenn Sie es einmal so betrachten: Sie haben begonnen, sich um jemanden zu kümmern. Das bedeutet, dass Sie eine Verpflichtung haben, nicht? Nämlich die, die angefangene Aufgabe so gut wie möglich zu bewältigen.«

Anna blieb weiterhin mitten im Zimmer stehen, sie hatte angefangen zu pfeifen, ein tonloses, kaum hörbares Pfeifen durch die Zähne hindurch. Plötzlich fragte sie mit ärgerlicher Stimme: »Was ist denn das?«

»Ich häkle einen Bettüberwurf.«

»Ach ja, hier häkeln ja alle. Ich möchte nur wissen, wie viele Betten es in diesem Dorf gibt …«

Katri fuhr fort: »Abmachungen haben etwas mit Gerechtigkeit zu tun …« Und Anna unterbrach sie: »Das da habe ich schon gehört: beide investieren etwas … beide gewinnen, was hat das mit meinen Kindern zu tun, und was gewinne ich dabei?«

»Neue Auflagen. Popularität.«

»Fräulein Kling«, äußerte Anna, »ich *bin* populär.«

»Oder Freundschaft, wenn Sie wollen. Wenn es Ihnen Spaß macht und Sie Zeit für Freundschaft haben.«

Anna sammelte ihre Briefe ein und sagte: »Das war es gar nicht, worüber ich sprechen wollte.«

»Wenn Sie sie hierlassen, werde ich sie lesen und versuchen zu verstehen.«

Später am Abend saßen sie sich im Salon gegenüber, und Katri erklärte: »Ich glaube nicht, dass man es so umständlich machen muss. Die Kinder fragen und erzählen und wünschen sich ungefähr stets die gleichen Sachen. Sie könnten sich ein System zulegen, einen fertigen, fotokopierten Text. Falls Variationen nötig sein sollten, könnten die ja in einem Postskriptum angehängt werden. Und natürlich Ihre eigenhändige Unterschrift darunter.«

»Die können Sie genauso gut schreiben wie ich«, unterbrach Anna rasch.

»Ja. Das würde Zeit sparen. Oder ein Stempel.«

Anna richtete sich auf: »Fotokopie? System? Das ist nicht mein Stil. Und was soll ich tun, wenn es Geschwister sind, die mir schreiben, oder Kinder, die in dieselbe Klasse gehen und hinterher ihre Briefe vergleichen, ich kann unmöglich alle Namen und Adressen im Kopf behalten ...«

»Da wäre eine Kartei eine gute Sache. Und mit der Zeit müssten Sie eine Sekretärin haben.«

»Eine Sekretärin!«, wiederholte Anna. »Eine Sekretärin! Das ist Ihre Meinung, Fräulein Kling! Und was könnte die Sekretärin zum Beispiel all den bedauernswerten Kleinen antworten – übrigens haben Sie meine Haufen durcheinandergebracht, das waren A, B und C ... jetzt weiß ich nicht, wo ich sie habe ... Was antwortet meine Sekretärin auf ›Liebe Tante Anna, was soll ich mit meinen Eltern machen?‹ oder ›Warum werden alle anderen eingeladen, nur ich nicht?‹ und so weiter, und so weiter ... Ich bin es, die gefragt wird, und sonst niemand, und im Übrigen ist doch jeder Einzelne auf seine eigene Art unglücklich, und dazu haben sie wirklich das Recht!«

»Das ist nicht so sicher«, antwortete Katri ziemlich trocken. »Fräulein Aemelin, ich habe das hier ziemlich genau durchgelesen und kann nur feststellen, dass A, B und C unter einer einzigen Rubrik zusammengefasst werden könnten: Die Kinder wollen dies oder jenes haben, und zwar so schnell wie möglich, da sie nur wenig Zeit haben. Diese Briefe könnte man eigentlich als kleine Erpressungsversuche bezeichnen. Nein, sagen Sie nichts. Die Briefe der Kinder sind unbeholfen und fehlerhaft, und daher werden Sie gerührt und bekommen ein schlechtes Gewissen. Aber die lieben Kleinen werden es schon noch lernen, sie werden geschickter werden, und wenn sie erst erwachsen sind, werden viele von ihnen genau solche Briefe schreiben, wie ich sie jetzt für Sie aussortiere und wegwerfe.«

»Ich weiß. Hinaus aufs Eis.«

»Nein. Wissen Sie denn nicht mehr? Irgendwohin auf den Dachboden.«

Nach einem Augenblick des Schweigens bemerkte Anna drohend, dass Kinder sich nicht täuschen lassen. Sie lehnte sich im Stuhl zurück und pfiff sachte durch die Zähne. Katri stand auf und machte die Lampe an, sie sagte: »Sie sehen sie in sentimentalem Licht, aber die Größe einer Person ist nicht von Bedeutung. Ich habe allmählich gelernt, dass alle, aber auch wirklich alle, ganz gleich wie groß, darauf aus sind, etwas zu bekommen. Sie möchten etwas haben. Das entspricht ihnen, ist ganz natürlich. Mit den Jahren werden sie zwar geschickter und verlieren ihre entwaffnende Aufrichtigkeit, aber ihr Ziel bleibt unverändert. Ihre Kinder haben ganz einfach noch keine Zeit gehabt, es zu lernen. Das bezeichnen wir dann als Unschuld.«

Anna fragte heftig: »Und was will Mats dann haben? Können Sie mir das sagen?« Ohne eine Antwort abzuwarten, fuhr sie fort: »Ich wollte doch über etwas ganz anderes reden. Warum sind die Kaninchen geblümt geworden?«

»Sagen Sie, das sei ein Geheimnis. Sagen Sie, das brauche man nicht zu wissen.«

»Genau«, sagte Anna. »Das ist richtig, das ist das Beste, was Sie heute Abend gesagt haben. Man braucht es nicht zu wissen, und ich will es nicht wissen. Jetzt wisst ihr's!«

17

Anna hatte eine stehende Bestellung beim Buchhändler des Städtchens. Ab und zu schickte er die Bücher mit Liljeberg – Abenteuergeschichten, Bücher, die mit den Weltmeeren zu tun hatten, mit unwegsamen Gegenden, mit den Entdeckungsreisen, auf die mutige und neugierige Männer sich eingelassen hatten, als es noch namenlose weiße Flecken auf der Weltkarte gab; manchmal schickte er Klassiker und manchmal Jungenbücher, doch das Thema, das das alte Fräulein Aemelin sich ausgesucht hatte, blieb stets dasselbe. In diesen Büchern hatte die Freundschaft zwischen Anna und Mats ihren unverbrüchlichen Halt. Die Bücherpakete kamen in braunem Packpapier an, die Adresse auf Gelb. Katri öffnete sie nie, sie legte sie nur auf den Küchentisch. In der Dämmerung wurden die Bücher von Anna und Mats ausgepackt. Mats durfte als Erster wählen, er wählte immer ein Buch, das mit dem Meer zu tun hatte. Wenn er es ausgelesen hatte, war Anna an der Reihe, und anschließend sprachen sie miteinander über das Buch, zuerst über seines und dann über ihres. Das war ein Ritual. Über ihr eigenes Leben und das, was ringsum geschah, wechselten sie nicht viele Worte, sie sprachen nur über die Menschen, die in ihren Büchern in einer unanfechtbaren Welt aus Ritterlichkeit und siegender Gerechtigkeit lebten. Über das Boot sprach Mats nie, aber viel über Boote.

Es gelang Anna, die aussortierten Briefe, die sich nach und nach irgendwo auf dem Dachboden häuften, zu vergessen, aber eines Nachts flatterten sie in ihre Träume hinein. Sie träumte, dass sie die ungelesenen Briefe aufs Eis hinaustrug, weit hinaus zu dem schwarzen Haufen aus ausrangierten Möbeln, diesen rücksichtslos zusammengepferchten und einst liebevoll gehegten Besitztümern, und dort draußen warf sie alles hin, die Bitten unbekannter Absender, ihre Geheimnisse und ihre listigen Vorschläge, sie warf sie ganz einfach von sich, worauf sie in einer Wolke aus vollgeschriebenem Papier davonstoben, eine unendliche Post ohne Grenzen, sie flogen wie ein einziger riesiger Vorwurf in den Himmel hinauf, und Anna wachte auf und fuhr hoch, von schlechtem Gewissen und Schweiß durchtränkt.

Da ging sie in die Küche hinaus, in den freundlichsten Raum ihres Hauses. Auf dem Tisch lagen noch die ausgepackten Bücher, funkelnagelneu und glänzend in ihren lockenden Abenteuerfarben. Sie rochen gut.

Anna nahm ein Buch nach dem anderen in die Hand, sie führte sie an ihre Wange und atmete den so rasch verflüchtigten Duft des Ungelesenen ein, der nichts anderem gleicht, sie öffnete die leicht aufbrechenden Seiten, die noch unberührt knisterten, und betrachtete die stürmischen, kühnen Bilder, des Zeichners Traum vom Unglaublichen, aber für ihn doch Denkbaren. Anna glaubte nicht, dass dieser Zeichner schon einmal einen richtigen Sturm erlebt oder sich in einem Urwald verirrt hatte. Eben darum, dachte sie. Er macht es noch schrecklicher und größer, weil er es nicht kennt. Ich glaube nicht, dass Jules Verne jemals gereist ist … Ich dagegen bilde ab. Aber ich brauche mich ja nicht fortzusehnen. – Anna blätterte Seite nach Seite um und betrachtete nachdenklich jede Illustration; allmählich legte sich ihre Unruhe.

Die Rechnung des Buchhändlers lag vergessen auf dem Tisch.

Anna faltete sie mehrmals zusammen, hielt das Papier fest in ihrer Faust und dachte, diese Rechnung wenigstens bekommt sie nie zu Gesicht. Sonst würde sie bestimmt auf die eine oder andere Art ausrechnen, dass auch der Buchhändler mich betrogen hat.

Nach der Sache mit Husholms Emil und dem Netz führte Mats keine Hilfsarbeiten im Dorf mehr aus, nur zu Liljebergs Bootsschuppen ging er noch wie eh und je. Dort wurde, wenn überhaupt, nur über Dinge gesprochen, die mit den Booten zu tun hatten.

Wenn dort Feierabend gemacht wurde, ging Mats zu seinen Bootszeichnungen nach Hause. Die Wände in Mats' Zimmer waren wie die meisten im Haus früher einmal blau gewesen, jetzt waren sie zu jener unbestimmbaren Farbe verblasst, die man bei alten blauen Ledereinbänden oder getrockneten Glockenblumen in einem Herbarium finden kann. Das schmale Zimmer mit seinem schrägen Dach war voller verwaschener Feuchtigkeitsflecken; für Mats sahen die Wände und die Decke wie ein Himmel voller fliegender Sturmwolken aus. Er war sehr glücklich. In seinem Zimmer gab es nichts Unnötiges. Das Fenster war klein und ging zum Wald hinaus, die riesigen alten Tannen füllten die Scheibe mit einer dunklen schneegefleckten Mauer. Es war so, wie wenn er allein im Bootsschuppen war. Katri hatte eine ihrer gehäkelten Decken über sein Bett gebreitet, die Decke war ebenfalls blau, aber leuchtend blau wie ein Signal. Mats schlief immer ohne Träume und wachte nachts nie auf.

Katri sah nicht viel von ihrem Bruder, meistens nur beim Essen. Die ganz eigene ruhige Stille, das Zusammengehörigkeitsgefühl der beiden fand nicht mehr genügend Zeit und Platz, um entstehen zu können. Abends hatte Katri manchmal dies oder jenes in der Küche zu tun, Mats und Anna saßen sich dann jedes Mal am Tisch gegenüber und lasen. Wenn Katri durchs Zimmer ging, hörten sie immer mit dem Lesen auf, sie fragten Katri aber nicht mehr, ob sie eine Tasse Tee haben wolle.

18

Anna war sehr verärgert. Sie hatte einen ganzen Tag auf den Versuch verwandt, einen Systembrief zustande zu bringen, den perfekten Brief, der beantwortete, informierte, tröstete und für alle Kinder passte, aber wie sehr sie sich auch bemühte, der Brief wurde nur immer unnatürlicher.

»Schauen Sie sich das mal an«, sagte sie, »jetzt schauen Sie sich das nur einmal an, Fräulein Kling! Sehen Sie jetzt, dass ich recht hatte?«

Katri las und sagte dann, der Brief wirke unklar und vermittle nicht die geringste Andeutung davon, dass die Korrespondenz jetzt und für alle Zukunft freundlichst abgeschlossen sei.

»Aber begreifen Sie denn nicht, dass die ganze Idee unmöglich ist! Jedes Kind muss einen eigenen Brief bekommen.«

»Ich verstehe. Sie werden es wohl auf Ihre eigene Art und Weise machen müssen.«

Anna setzte die Brille auf, nahm sie wieder ab und putzte sie lange und gründlich. Sie sagte: »Ich weiß nicht, was mit mir los ist, aber ich kann keine Briefe mehr schreiben. Ich habe das Gefühl, dass es ganz falsch ist.«

»Aber Sie haben ihnen doch jahrelang geschrieben! Sie sind doch Schriftstellerin.«

»Da sieht man, wie wenig Sie wissen!«, rief Anna aus. »Es ist doch der Verlag, der den Text zusammenstellt. Ich mache Bilder, verstehen Sie, Bilder! Haben Sie sie überhaupt gesehen?«

»Nein«, antwortete Katri. Sie wartete eine Weile, Anna sagte jedoch nichts. »Fräulein Aemelin, ich habe eine Idee. Könnten Sie mir nicht ein paar der Briefe geben, die ich dann für Sie beantworten könnte? Nur versuchsweise?«

»Sie können doch nicht schreiben«, sagte Anna rasch. Dann zuckte sie die Schultern, stand vom Tisch auf und ging.

Mit derselben Leichtigkeit, mit der Katri Kling Unterschriften imitierte, konnte sie Stimmen wiedergeben, die Wortwechsel und Redeweisen anderer Menschen. Manchmal hatte sie versucht, Mats damit zu unterhalten, dass sie die Nachbarn imitierte, doch das hatte ihm nicht gefallen.

»Sie werden zu deutlich«, sagte er.

»Wie denn?«

»Man merkt, dass sie schlecht sind.«

Da beendete Katri dieses Spiel, das keinen Spaß machte. Aber in den Briefen von Anna hatte sie Nutzen von ihrem Talent; leicht und geschickt bildete sie Annas Unsicherheit und tastendes Wohlwollen nach, das sich in unnötigem Geplauder verlor. Und unter dem Wohlwollen ließ sich immer noch Annas Selbstbezogenheit erahnen. Aber das feige Unvermögen, Nein zu sagen, war nicht mehr da, keine halben Versprechungen, die zu Brieffreundschaften verlocken konnten. Katri schrieb ein ehrliches Lebewohl, das nur von ungewöhnlich dummen oder blind gutgläubigen Kindern missverstanden werden konnte. Anna las die Briefe durch, die Katri geschrieben hatte, und wurde verwirrt. Es war sie selbst und doch nicht sie, ein Zerrbild, das Brief für Brief näher an sie heranrückte, bis sie alles weglegte und sehr lange schwieg.

Eine von Katris Eigenschaften war, dass sie nie beunruhigt wurde, wenn Leute verstummten, sie wartete nur. Endlich nahm Anna die Briefe wieder in die Hand, suchte ein Weilchen darin, sah Katri streng an und sagte: »Das hier ist falsch! Hier sind Sie nicht ich! Wenn ein Kind sich über seine Eltern ärgert, ist es kein Trost, dass die Eltern es auch schwer haben könnten! Das ist der falsche Trost. Das hätte ich nie geschrieben. Die Eltern müssen stark und vollkommen sein, sonst können die Kinder nicht an sie glauben! Das müssen Sie ändern.«

Mit plötzlicher Heftigkeit rief Katri: »Aber wie lange soll man sich denn auf das Unzuverlässige verlassen? Wie viele Jahre sollen diese Kinder noch fälschlich an etwas glauben, das ihren Glauben nicht verdient? Sie müssen es früh lernen, sonst schaffen sie es nie.«

»Ich habe es geschafft«, antwortete Anna scharf, »und zwar sehr gut. Und hier, Sie sagen, alle Kinder würden sich früher oder später über ihre Eltern ärgern, das sei nur natürlich. Glauben Sie, ich hätte so etwas schreiben können?«

»Nein, das war ein Irrtum. Hier bin ich nicht Sie gewesen.«

»Nein, das war nicht sehr freundlich. Wenn alle Kinder sich ärgern, verliert dieses eine Kind an Bedeutung. Dann ist es keine einmalige Person mehr.«

»Na ja«, wandte Katri ein, »sie sind kleine Herdentiere. Sie versuchen, möglichst so zu sein wie die anderen. Da ist es doch tröstlich für sie, dass die anderen sich genauso benehmen.«

»Aber manche sind Individualisten!«

»Mag sein. Dann haben sie es umso nötiger, sich in der Herde zu verbergen. Sie wissen genau, dass derjenige, der anders ist, verjagt wird.«

»Und hier?«, fuhr Anna fort. »Wo ist da der Kommentar? Der Kleine hat versucht, ein Kaninchen zu zeichnen – klar und deutlich unbegabt –, hier hätten Sie etwas darüber schreiben können, dass seine Zeichnung über meinem Schreibtisch hängt ... Dieser hier lernt gerade Schlittschuhlaufen. Seine Katze heißt Topsy.

Wenn man mit großer Schrift schreibt, können Schlittschuhlaufen und Katze fast die ganze Seite füllen. Sie verwerten Ihr Material nicht gut.«

»Fräulein Aemelin«, sagte Katri, »in Wirklichkeit haben Sie etwas von einem Zyniker an sich. Wie ist es Ihnen gelungen, das zu verbergen?«

Anna hörte nicht zu, sie legte die Hand auf die Briefe und erklärte: »Mehr Zärtlichkeit! Größere Buchstaben! Und schreiben Sie über meine Katze, beschreiben Sie, was sie tut …«

»Aber Sie haben doch keine Katze.«

»Das spielt keine Rolle. Die Kinder sollen einen netten Brief bekommen, das ist alles … Sie müssen noch viel lernen. Aber ich weiß nicht, ob Sie das hier schaffen werden. Ich glaube fast, dass Sie die Kinder nicht leiden können.«

Katri hob die Schultern, mit ihrem raschen Wolfslächeln sagte sie: »Das tun Sie auch nicht.«

Die lästige Röte stieg Anna in die Wangen. Sie beendete das Gespräch:

»Was ich finde, bedeutet gar nichts, aber die Kinder müssen ihren Glauben an mich behalten dürfen. Ich könnte sie nie betrügen. Jetzt bin ich müde.«

O Anna Aemelin, das Einzige, was dich interessiert, ist dein eigenes Gewissen, das pflegst du und hegst du. Du bist eine liebenswürdige kleine Lügnerin. Das Kind schreibt: Ich liebe dich, ich spare Geld, um zu dir zu kommen und bei dir und den Kaninchen zu wohnen, und du antwortest, wie nett, herzlich willkommen, und das ist eine Lüge! Mit den Versprechungen des kranken Gewissens lässt sich nichts quittieren und abfertigen … Auf die Dauer gibt es keine Verständigung, wenn man es sich dadurch einfach zu machen versucht, dass man nicht Nein zu sagen wagt, dass man sich einredet, alle wären letzten Endes doch freundlich und wohlgesonnen und ließen sich mit Versprechungen oder Geld auf Abstand halten ... Von ehrlichem Spiel hast du keine Ahnung! Du wirst ein schwieriger Gegenspieler. Die Wahrheit muss mit harten Nägeln eingehämmert werden, aber in eine Matratze kann kein Mensch Nägel einschlagen!

Die Erleichterung, keine Kinderbriefe mehr schreiben zu müssen, hinterließ ein unvermutetes Loch in Annas regelmäßigen Tagen, die jetzt leicht, leer und schwer zu füllen waren. Aber sie setzte immer noch ihre schön geformte Unterschrift unter jede Antwort, die Katri ihr vorlegte, und zeichnete ein Kaninchen daneben. Eines Tages, als Anna müde war, beging Katri einen Fehler: Sie unterschrieb selbst und zeichnete dann die Kaninchen dazu. Die Kaninchen hockten, von hinten gesehen, im Gras, die Aufgabe war nicht besonders schwierig. Auf jeden Fall waren Katris Kaninchen kühn und sorglos gezeichnet. Anna sah sie an und sagte nichts, aber ihr Blick war kälter als der Wirbelschnee vor dem Haus, und Katri zeichnete keine Kaninchen mehr.

Anna rief Sylvia noch ein paar Mal an, aber es antwortete nie jemand.

19

Es konnte immer noch vorkommen, dass die Dorfbewohner Katri aufsuchten, um sich in besonders heiklen Fragen Rat zu holen, aber sie kamen ziemlich selten. Es war ihnen unangenehm, das Kaninchenhaus in eigenen Angelegenheiten aufzusuchen, das Private wurde dadurch irgendwie allzu offensichtlich. Wenn man an der Haustür klingelte, war es zwar Katri, die aufmachte, aber hinter ihr tauchte wie ein aufgescheuchter Vogel jedes Mal sofort das alte Fräulein Aemelin auf, schaute Katri über die Schulter und wollte wissen, um was es gehe, und ob sie vielleicht eine Tasse Kaffee anbieten dürfe, oder vielleicht lieber nicht, oder möglicherweise einen Tee?

So etwas wirkte ja verdreht, und wenn man dann endlich die Treppe zu Katris Zimmer hinaufging, schämte man sich fast, als wäre man verstohlen zu einer Wahrsagerin unterwegs. Ungefähr um diese Zeit begannen die Kinder »Hexe« hinter Katri herzuschreien. Wo sie das nur herhaben mochten? Kinder haben Spürnasen wie junge Hunde. Wenn Katri an ihnen vorbeiging, schwiegen sie, doch dann begannen sie zu schreien, einstimmig und eintönig.

Katri betrat den Laden. Der Hund wartete draußen, und die Kinder schwiegen.

Der Kaufmann fragte, wie es denn im Kaninchenhaus gehe.

»Danke, gut«, antwortete Katri.

»Der Aemelin geht es also gut? Hat die Alte schon ihr Testament gemacht?«

Sie waren allein im Laden. Katri ging suchend an den Regalen entlang, sie fragte, ob er das weichere Knäckebrot schon hereinbekommen habe.

»Nein. Kann sie etwa nicht mehr beißen? Oder wagt sie es nicht?«

Katri sagte: »Seien Sie lieber vorsichtig. Ich warne Sie.«

Aber er musste weitermachen. Er schleuderte ihr entgegen: »Jetzt sind es andere, die beißen, nicht wahr?«

Katri drehte sich um. Mit weit geöffneten leuchtend gelben Augen antwortete sie: »Hüten Sie sich. Der Hund beißt fest zu, wenn ich es ihm befehle.«

Sie bezahlte und machte sich mit dem Hund auf den Heimweg, während die Kinder hinter ihnen ihren eintönigen Hassgesang fortsetzten. Mats kam die Dorfstraße entlang. Als er die Kinder »Hexe« schreien hörte, blieb er jäh stehen. Sein Gesicht wurde weiß.

»Lass«, sagte Katri. »Sie sind nur unschuldig.«

Doch ihr Bruder ging langsam auf die Kinder zu, die Hände offen herabhängend, zum Zupacken bereit, und die Kinder flohen, ebenso stumm wie er selbst.

»Lass«, sagte Katri wieder. »Du weißt, dass du dich davor hüten musst, wütend zu werden. Das ist unnötig. Ich lasse mich durch nichts verletzen.«

Am gleichen Abend kam Liljeberg ins Kaninchenhaus und wollte mit Katri über eine Angelegenheit sprechen, in der es um den Kaufmann ging. Sie führte ihn die Treppe in ihr Zimmer hinauf.

»Da ist die Sache mit dem Lieferwagen«, sagte Liljeberg. »Der Kaufmann bezahlt zwar das Benzin und gibt mir Rabatt, wenn ich bei ihm einkaufe, aber ich finde, dass ich eine Lohnerhöhung haben sollte. Ich habe mich bei anderen Fahrern im Marktfle-cken erkundigt, und die bekommen mehr. Jetzt sagt er aber, wenn ich mehr wolle, gebe es genügend Leute, die den Wagen genauso gut fahren könnten wie ich.«

»Gibt es jemand im Ort, der das kann?«

»Ja, ein paar gibt es schon. Und die würden für weniger fahren, einfach weil es ihnen Spaß macht.«

»Wie groß ist dein Rabatt, und wie viel kriegst du als Lohn?«

Liljeberg holte ein Blatt Papier heraus und reichte es ihr. »Hier habe ich aufgeschrieben, was ich bekomme, und hier, was ich haben will. Und er lässt nicht mit sich reden.«

Katri sagte: »Da gibt es etwas, was du vielleicht nicht weißt. Das Benzin zahlt nicht er, das bezahlt der Staat, damit die Gas-flaschen vom Hafen zum Leuchtturm hinausbefördert werden. Aber sie haben keine Ahnung davon, dass man nur ein paar Mi-nuten braucht, um dort hinauszukommen. Und sie wissen auch nicht, dass er von der Post extra bezahlt bekommt und im Post-auto seine Waren befördert. Er hat falsche Angaben gemacht, und wenn sie wollen, können sie ihm die Konzession nehmen.«

Liljeberg schwieg eine gute Weile, dann fragte er vorsichtig, woher Katri das so genau wisse.

»Ich habe ziemlich lang seine Buchhaltung gemacht.«

»Verdammt!«, sagte Edvard Liljeberg und verstummte wieder. Schließlich bemerkte er, dass das doch fast wie Erpressung wäre. Das seien zwar hässliche Dinge, aber deswegen werde doch kein Mensch einen anderen bei den Behörden anzeigen, so etwas mache man einfach nicht.

»Tu, was du willst. Aber lass ihn einfach verstehen, dass du Be-scheid weißt. Er wird dir mehr Lohn geben.«

»Ja, wenn du es sagst, dann … Aber das alles gefällt mir ganz und gar nicht. Trotzdem vielen Dank.«

Als Liljeberg gegangen war, begann Katri wieder an ihrem Bettüberwurf zu häkeln. Das Haus war ganz still. Katri häkelte rasch, ohne die Arbeit, die ihre Hände beschäftigte, anzusehen; das Häkeln war vor allem eine Art, die Gedanken auszuruhen. Aber dennoch fielen sie über sie her, bedrängten sie, bis sie sich unter einer einzigen unerbittlichen Einsicht krümmte, die ihr entsetzlich schien.

Sie musste noch einmal mit Liljeberg sprechen, jetzt, sofort. In rasender Eile lief sie in den Flur hinunter, zog ihren Mantel an und gab dem Hund ein Zeichen, ihr zu folgen. Es war schon dunkel. In ihrer Eile hatte Katri die Taschenlampe vergessen, aber sie nahm sich nicht die Zeit, deshalb umzukehren. Der Abkürzungsweg zu Liljebergs war zugeschneit, immer wieder lief sie direkt gegen einen Baum, dann blieb sie kurz stehen, schloss die Augen und stapfte mit ausgestreckten Armen weiter. Der Geruch von Liljebergs Kaninchenfarm schlug ihr entgegen, bevor sie das Fensterlicht zwischen den Stämmen hindurch unterscheiden konnte. Das rechteckige Fenster schimmerte sehr schwach in den Schnee hinaus. Bestimmt saßen sie jetzt beim Abendessen, sie hätte bis morgen warten sollen, sie benahm sich schlecht, aber das ließ sich nicht ändern und war im Augenblick auch nicht wichtig. Katri stellte ihre Stiefel vor die Tür. Es war Edvard Liljeberg, der aufmachte, seine Brüder saßen beim Essen.

Katri sagte: »Da ist noch etwas, was ich sagen wollte. Es dauert nicht lang. Ich kann warten.«

»Das ist unnötig«, entgegnete Liljeberg. »So schnell wird das Essen nicht kalt. Wir gehen am besten in die Kammer.«

Die Kammer war sehr kalt; die Brüder schliefen meistens in der Stube. Katri wollte sich nicht hinsetzen. Mit hastiger, harter Stimme erklärte sie: »Ich habe mich geirrt. Dein Lohn ist normal, und der Rabatt für die Lebensmittel fast zu reichlich bemessen. Der Kaufmann hat bestimmt schon manchen übers Ohr gehauen, dich aber nicht. Daher nehme ich alles zurück, was ich gesagt habe. Ich war ungerecht.«

Edvard Liljeberg war verlegen. Er wollte eine Tasse Kaffee anbieten, doch Katri lehnte dankend ab. Bevor sie aus der Kammer ging, sagte sie: »Aber vergiss wenigstens das eine nicht: dass man sich mit etwas abfindet, braucht nicht zu bedeuten, dass man nachgibt. Behalte ihn im Auge. Und du bleibst auf jeden Fall der Gewinner, da es dir ja Spaß macht, mit dem Lieferwagen herumzufahren, und das versteht er nicht.«

Draußen auf dem Hof schlug Katri der starke Geruch nach Kaninchen entgegen. Jetzt war es getan. Vielleicht hatte Liljeberg jetzt das Vertrauen zu ihr verloren, das wäre sehr schlimm. Liljeberg war derjenige, bei dem sie Mats' Boot bestellen wollte, und das musste recht bald geschehen, wenn es bis zum Sommer fertig werden sollte. Kein Mensch konnte verlangen, dass Liljeberg an Geld glauben sollte, das noch nicht vorhanden war, und an das Versprechen einer Person, die ihre Ehrlichkeit dadurch infrage gestellt hatte, dass sie ein einziges Mal von dem geraden Weg, den sie sich so unerbittlich abgesteckt hatte, abgeirrt war.

20

Der Winter trat jetzt in ein neues Stadium ein. An den Stränden herrschte lautlose Stille. Die Winde hatten zwischen langen Schneestreifen glasklare Flecken aufs Eis gefegt. Zahlreiche Eislochfischer saßen draußen auf dem Eis, ab und zu fuhr Husholms Emil auf seinem roten Schneescooter zu den weiter draußen gelegenen Eislöchern hinaus und zog seine Frau auf dem Schlitten hinter sich her. Der Schnee sank in sich zusammen und wurde mürbe, aber das Eis war immer noch stark, selbst draußen in den Sunden und um die Landspitzen herum. Und Tag für Tag blieb das Wetter gleich klar.

Eines Morgens ging Anna zum Anlegesteg der Fischer hinunter, sie spähte aufs Eis hinaus und versuchte, den großen Möbelhaufen zu entdecken, den Katri zum Sinken verurteilt hatte, doch das intensive Licht, das vom Himmel kam, blendete sie, sodass sie nichts sehen konnte. Im Bootsschuppen wurde gehämmert, zwei Männer klopften regelmäßig und rhythmisch, die Schläge hörten gleichzeitig auf, um gleich wieder einzusetzen. Anna setzte sich auf einen Fischkasten und schloss die Augen in der Sonne.

»Es ist schönes Wetter«, sagte Katri hinter ihr, »Sie haben Ihre Sonnenbrille vergessen.«

Anna bedankte sich und steckte die Sonnenbrille in die Tasche.

»Und dann ist Post gekommen. Schon wieder diese Plastikfirma.«

Annas Rücken wurde steif, und sie kniff die Augen noch fester zu. Schließlich bemerkte sie, dass die Sonne jetzt anfange zu wärmen, und begann leise vor sich hin zu pfeifen. Katri blieb ein Weilchen stehen, dann ging sie zum Kaninchenhaus zurück.

Es war Anna gelungen, wie so vieles andere auch die Plastikfirma zu vergessen. Das, was sie »die braunen Umschläge« nannte, mit maschinengeschriebener Adresse und immer ohne Blumenschmuck, hatte ihr Leben viel zu viele Jahre lang überschattet. Meistens hatte Anna sich damit aus der Affäre gezogen, dass sie sich fürs Interesse bedankte, und wie schön, dass ihre Kaninchen verwendet werden könnten, und die Bedingungen seien akzeptabel, mit den besten Grüßen. Aber meistens war es lästig, die Leute wollten genaue Angaben haben, Fakten wissen, die Anna weder in ihrem Gedächtnis noch in ihren Schubladen finden konnte. In solchen Fällen hatte sie die lästigen Briefe meistens in feiger Resignation in den »Schrank für weitere Überlegungen« gesteckt, und irgendwie gelang es ihr nachträglich beinahe immer, alles einfach zu vergessen. Die Plastikfirma hätte natürlich denselben Weg gehen sollen, sie wollten Kopien von sämtlichen Verträgen haben, die Anna Aemelin je im Zusammenhang mit Kaninchen gemacht hatte. Das war vor einigen Wochen gewesen, Anna war schon zum Schrank unterwegs gewesen, doch in diesem Moment hatte Katri draußen auf dem Hof begonnen, Teppiche zu klopfen. Anna blieb mit dem Brief in der Hand stehen und ging zurück und las ihn noch ein paar Mal durch, aber da gab es nichts, was man irgendwie hätte missverstehen können. Schließlich hatte Anna auf gut Glück ein paar Schubladen aus ihrem großen Schrank herausgezogen, und jede Schublade war randvoll gewesen mit Briefen und unbestimmbaren Papieren. Da war es die natürlichste Reaktion, sie wieder zuzuschieben und sich in einem Buch zu verstecken. Aber schon am nächsten Morgen war diese neue Art von Gewissen wieder da und packte Anna mit festem Griff. Das »so schnell wie möglich« der Plastikfirma leuchtete in feurigen Lettern durch den braunen Umschlag hindurch. Rasch, um jeden Ansatz von Reue im Keim zu ersticken, leerte Anna ein paar Schubladen auf ihrem Bett aus und begann in den Briefen zu wühlen. Ziemlich bald wurde ihr klar, dass das alles in Haufen geordnet werden musste. Das Bett war nicht groß genug, die Haufen schwappten auf den Boden über und vermischten sich dort. Sie mussten auf dem Teppich weiterwachsen. Es war unmöglich, sich zu merken, welcher Haufen welcher war, sie legte die Briefe ständig auf den falschen Haufen und bekam auch noch Rückenschmerzen. Gegen zwölf holte Anna Katri.

»Schauen Sie nur, was diese Leute angerichtet haben!«, sagte sie. »Sie wollen meine sämtlichen Verträge haben! Woher soll ich denn wissen, wo die sind ... Und um alles noch schlimmer zu machen, ist die Korrespondenz von Papa und Mama mit meiner eigenen vermischt, jede Weihnachtskarte und jede Quittung, die sie seit der Jahrhundertwende bekommen haben!«

»Gibt es noch mehr davon?«

»Der ganze Schrank ist voll. Das, was ich für unnötig hielt, liegt wahrscheinlich weiter oben. Oder vielleicht in der Mitte ...«

»Und es ist eilig?«

»Ja.«

Katri sagte: »Dann werden sie eben warten müssen. Es wird seine Zeit brauchen. Aber ich glaube, dass ich ganz gut katalogisieren kann.«

Mats trug alles in Katris Zimmer hinauf, und der Schrank wurde leer. Anna hatte das Gefühl einer großen Niederlage, aber ihre Erleichterung war noch größer.

Mit wachsender Verwunderung begann Katri diese Flut aus Verwirrung rasch zu sortieren, eine Verwirrung, die eine unaufmerksame und unsachliche Person anrichten kann, wenn sie lange genug dabei bleiben darf. Katri las hier einen Abschnitt und dort ein paar Zeilen und ahnte bereits das Schlimmste, aber vorerst ging es nur um Annas Verträge. Nachdem Katri die Verträge gefunden hatte, wurde ihr klar, dass niemand diese Schriftstücke zu Gesicht bekommen durfte. Kein vernünftiger Mensch, der erführe, wie bodenlos Anna sich hatte hereinlegen lassen, würde je dazu gebracht werden können, ihr bessere Bedingungen einzuräumen. Katri erklärte Anna den Sachverhalt.

»Aber sie warten doch«, wandte Anna ein, sie war sehr ängstlich.

»Dann müssen sie eben warten. Wir schreiben und sagen, dass wir das Angebot ihrer Bedingungen abwarten, und zwar so schnell wie möglich.«

»Aber was sagen wir über meine Verträge? Vielleicht, dass sie verloren gegangen sind?«

»Verträge gehen nicht verloren. Warum sollten wir lügen? Wir sagen gar nichts.«

Bei dieser Gelegenheit kamen die braunen Ordner ins Haus. Katri bestellte sie im Marktflecken. Sie hörte auf zu häkeln; mit großer Sorgfalt ging sie Abend für Abend die Konzepte von Annas Geschäftsbriefen durch, sie waren ohne Datum, und die stets unnummerierten Seiten waren meistens auf verschiedene Schubladen verteilt. Mit der Geduld und dem Instinkt eines Jagdhundes fand Katri das meiste heraus.

Ihr ganzes Leben lang hatte sie ein starkes Bedürfnis nach Klarheit gehabt, danach, so viel wie möglich an seinen Platz zu bringen, und die Arbeit mit Anna Aemelins Briefen verschaffte ihr eine ruhige Befriedigung. Nach und nach bekam Katri ein ziemlich deutliches Bild davon, was lange Zeit hier vor sich gegangen war; sie begann zu rechnen und addierte die Summen, die Anna Aemelin durch beinahe kriminelle Gutgläubigkeit oder ganz einfach durch Schlamperei und Faulheit verloren hatte. Manches ging auf das Konto von Annas Unfähigkeit, Nein zu sagen, oder auf das ihres sozialen Gewissens, doch dieser Anteil war eigentlich geringer als erwartet, das allermeiste war ganz einfach durch Annas Desinteresse verursacht worden.

Katri trug die verlorenen Summen in ein schwarzes Heft ein.

»Wie geht es?«, fragte Anna von der Tür aus. »Mein liebes Fräulein Kling, ich fürchte, dass ich ein wenig nachlässig gewesen bin ...«

»Ja, leider. Sie haben sehr unvernünftige Vereinbarungen getroffen. Da ist nicht mehr viel zu retten.«

Während Katri fortfuhr, von Prozenten und Garantiesummen zu reden, stand Anna in mürrischem Schweigen vor der Reihe brauner Ordner, die alle einen viereckigen Zettel auf dem Rücken hatten, einen Zettel, der mit ihrer eigenen schönen Handschrift angab, was sich darin befand. Sie hörte nicht zu. Diese Ordner bedrückten sie, es war, als wäre alles, was sie je unternommen oder zu unternehmen unterlassen hatte, plötzlich in unnachsichtiger Ordnung präzisiert worden und liege jetzt für jeden beliebigen Betrachter zur Beurteilung und Verurteilung bereit.

Plötzlich unterbrach sich Katri und sagte:»Hören Sie bitte auf zu pfeifen.«

»Habe ich gepfiffen?«

»Ja, Fräulein Anna. Sie pfeifen die ganze Zeit. Bitte lassen Sie das. Also, wie gesagt, wenn Sie jetzt diese Ordner haben, wird es viel einfacher für Sie, Sie können das, was Sie brauchen, sofort aufschlagen und ein klares Bild von der Situation gewinnen.«

Anna warf Katri einen langen Blick zu und wiederholte: »Von der Situation …«

»Ihrer Geschäfte«, erläuterte Katri langsam und freundlich, »der Vereinbarungen. Was Sie gesagt haben, und was die anderen gesagt haben. Zum Beispiel, wie viel Prozent es beim letzten Mal waren, das muss man ja wissen, um mehr verlangen zu können, nicht wahr?«

»Und was ist das, was Sie da auf dem Boden liegen haben?«, fragte Anna abrupt.

»Das will ich zu einer Decke zusammennähen. Ich versuche, die Farben aufeinander abzustimmen.«

»Aha. Die Farben aufeinander abzustimmen.«

Anna nahm eines der gehäkelten Vierecke, die auf dem Fußboden ausgebreitet waren, und musterte es eingehend. Von Katri abgewandt, erwähnte sie kurz angebunden, dass es sehr freundlich von ihr gewesen sei, die Korrespondenz zu ordnen, jetzt könne man alles finden, wenn man es finden wolle, sie hoffe allerdings, dass dies nicht notwendig werden würde. Letzten Endes seien das ja alles Dinge, die schon geschehen seien.

»Das stimmt«, sagte Katri grimmig, »sie sind schon geschehen. Und so werden sie auch weiterhin geschehen, wenn niemand sie in die Hand nimmt.«

Sie zögerte einen Augenblick und fragte dann: »Anna, vertrauen Sie mir?«

»Nicht besonders«, antwortete Anna liebenswürdig.

Katri begann zu lachen.

»Wissen Sie was, Katri«, sagte Anna und drehte sich um, »irgendwie gefallen Sie mir besser, wenn Sie lachen, als wenn Sie lächeln. Diese Decke ist ein schönes Stück Handarbeit, aber das Grün sitzt an der falschen Stelle. Grün ist eine sehr schwierige Farbe. Und jetzt glaube ich, dass ein kleiner Spaziergang das

Richtige für mich wäre. Was halten Sie davon, wenn Teddy mitkommen dürfte? Ein bisschen Bewegung täte ihm gut.«

Katris Gesicht verschloss sich wieder. »Nein«, sagte sie, »Sie sind für den Hund nicht gut. Er darf nur mit mir oder Mats hinausgehen.«

Anna zuckte die Schultern. Mit plötzlicher Bosheit bemerkte sie, dass Katris Interesse am Geld etwas übertrieben wirke, in ihrer Familie habe man Geld nie als passendes Gesprächsthema betrachtet.

»Ach, wirklich?« Katris Äußerung kam wie ein Peitschenhieb. »Das finden Sie also? Ein unpassendes Gesprächsthema?« Sie war blass geworden und machte einen unsicheren Schritt auf Anna zu.

»Aber was ist denn?«, sagte Anna und wich zurück. »Geht es Ihnen nicht gut?«

»Nein, mir geht es nicht gut, mir geht es sehr schlecht, wenn ich sehe, wie Sie Ihr Geld für nichts und wieder nichts zum Fenster hinauswerfen! Das, was Sie so total verwerfen und verachten, sind nämlich Möglichkeiten, begreifen Sie das nicht, ganz einfach die Möglichkeit, sich so sicher zu fühlen, dass man nicht mehr an Geld zu denken braucht, die Möglichkeit, großzügig zu sein, für neue Ideen Platz zu bereiten, die ohne Geld nicht zu wachsen vermögen, ohne Geld können die Gedanken eng werden, sie schrumpfen geradezu! Sie haben nicht das Recht, sich auf diese Art betrügen zu lassen ...« Katri hatte mit sehr leiser Stimme gesprochen, mit einer neuen, erschreckenden Stimme, jetzt unterbrach sie sich abrupt. Das Schweigen wuchs und wurde schwer zu ertragen.

Anna sagte: »Das verstehe ich nicht.«

»Nein. Das verstehen Sie nicht.«

»Sie sind so blass. Gibt es etwas, das ich tun kann ...«

»Ja«, sagte Katri, »es gibt etwas, das Sie tun können. Überlassen Sie mir Ihre Geschäftsverhandlungen. Ich kann das. Das weiß ich. Ich kann Ihre Einnahmen verdoppeln.« Als das Schweigen wiederkehrte, fügte sie hinzu: »Bitte entschuldigen Sie, ich habe die Beherrschung verloren.«

»Ja, das haben Sie«, antwortete Anna. »Aber jetzt scheint es Ihnen wieder gut zu gehen.« Sie übernahm Mamas Art zu sprechen, diese seit Langem verstummte, wohlwollend-hochmütige Stimme: »Meine liebe Katri, Sie können tun und lassen, was Sie wollen. Aber Sie brauchen nicht zu glauben, dass es mir auch nur im Entferntesten an Sicherheit mangelt und auch nicht an Großzügigkeit. Und meine Ideen, das kann ich Ihnen versichern, die sind von meinen Einkünften völlig unabhängig.« Anna bedachte Katri mit einem knappen Nicken, eine kurze Neigung des Kopfes, dann verließ sie das Zimmer. Auf der Treppe überfiel sie so große Müdigkeit, dass sie regungslos stehen bleiben musste, bis die Erschöpfung allmählich wieder vorbeiging.

»Übereilt?«, flüsterte Anna verächtlich. »Übereilt? Und dabei bildet sie sich ein, sie würde nie etwas Übereiltes sagen ... Und was hat sie überhaupt gemeint? Was ist daran meine Schuld ...«
Und dort unten lag der Hund und starrte sie mit seinen gelben Augen an, dieser überlegene, gefährliche Hund, den man nicht anfassen und den man nicht füttern durfte; zum ersten Mal ging Anna direkt zu dem großen Tier hin, sie tätschelte ihm den Kopf und versetzte ihm dabei einen kräftigen Klaps, der alles andere als freundlich war.

»Dear Sirs, wir bedauern, dass Fräulein Aemelin bisher keine Gelegenheit gefunden hat, Ihre Nachfrage vom ... zu beantworten ...« Katri sah nach, diese Angelegenheit war inzwischen zwei Jahre alt. Aber vielleicht war es noch nicht zu spät. Das

Angebot war sehr vorteilhaft. Katri legte den Füller aus der Hand und blickte, ohne zu sehen, zum Fenster hinaus. Neben ihr lagen *Anleitung für Geschäftskorrespondenz* und ein englisches Wörterbuch. Die englischen Briefe waren lästig, aber es ging. Mit verbissenem Willen schrieb Katri ihre holprigen, aber außerordentlich klärenden Briefe an sämtliche Personen, die auf verschiedene Weise daran interessiert waren, an geblümten Kaninchen zu verdienen. Durch die gezwungenermaßen vereinfachten Formulierungen der Briefe erhielten sie eine Art von Endgültigkeit, die fast brutal wirkte. Jedes Mal, wenn es Katri gelungen war, ein Honorar zu erhöhen oder eine einmalige Zahlung gegen Beteiligung auszutauschen, trug sie den Erfolg in das schwarze Notizbuch ein. Dort wurden auch die Summen eingetragen, die durch ablehnende Antworten an alle möglichen Wohltätigkeitsorganisationen, Amateurenthusiasten und allgemeine Notrufe von unsachlichen und aufdringlichen Personen gerettet worden waren. Alles wurde ins Heft eingetragen, jeder Penni wurde ehrlich notiert. Katri stellte sich vor, dieses Geld habe sie durch Unnachgiebigkeit und maßvolles Verhandeln für Mats gewonnen. Die Antworten, die sie auf ihre Briefe erhielt, waren kalt, aber respektvoll, und es kam sehr selten vor, dass sie die Prozente senken musste. Keiner der Briefpartner gab im letzten Satz des Briefes einen Kommentar zur Wetterlage ab. Auf den Einband des schwarzen Heftes klebte Katri einen Zettel, auf den sie »Für Mats« schrieb. Das ernste Spiel des Herausforderns und Wiedergewinnens wurde zu einem sachlichen Glücksspiel, das ihre Gedanken ständig beschäftigte. Katri war von der seltsamen Manie des Sammlers gepackt, jedes Mal, wenn sie eine eroberte Summe in ihr Heft eintrug, war damit die tiefe Befriedigung des Sammlers verbunden, der endlich ein schwer erreichbares, kostbares Exemplar in seinen Besitz gebracht hat. Mit großer Genauigkeit und Überlegung rechnete Katri aus, was rechtmäßig Anna zufallen müsste und was Mats' Anteil sein könnte. In Annas Spielkasse kam das, was sie selbst akzeptiert haben würde. Von dem, was Katri zurückgewonnen oder repariert hatte, erhielt Anna zwei Drittel, aber wenn es um Leute ging, die etwas haben wollten, ohne dafür etwas zu geben, ging der ganze Gewinn auf Mats' Konto. Es gab Grenzfälle, wo Annas Nachgiebigkeit auf lange Sicht höhere Auflagen bedeuten konnte, dort teilte Katri fünfzig zu fünfzig.

»Die Sache mit der Plastikfirma ist also erledigt«, sagte Katri. »Es ging besser, als ich dachte. Und ihre Option braucht nicht mit den Vereinigten Gummiwerken zu kollidieren.«

»Aha«, sagte Anna.

»Der Verlag hat wieder geschrieben.«

Anna las den Brief und merkte an, dass der Stil nicht mehr so freundlich wie früher sei.

»Natürlich nicht. Sie haben begriffen, dass sie Sie nicht mehr an der Nase herumführen können. Nächstes Mal verlangen wir kein einmaliges Honorar mehr, sondern Beteiligung. Sie haben dem Verlag doch keine Option für kommende Bücher gegeben?«

»Vielleicht. Ich erinnere mich nicht genau …«

»In Ihren Papieren steht nichts darüber. Übrigens können Sie den Verlag wechseln, falls er keine besseren Bedingungen einräumen sollte.«

Anna richtete sich auf, doch bevor sie dazu kam, etwas zu sagen, fuhr Katri fort: »Hier schreibt eine Laienbühne, die geblümte Kaninchen benützen will. Die Blumen malen sie selbst, sie sind offensichtlich schon fast bei den Ohren angelangt. Sie haben kein Geld, verlangen aber Eintritt. Ich habe einen sehr niedrigen Prozentsatz vorgeschlagen.«

»Nein«, entgegnete Anna schroff. »Gar keinen.«

»Mit zwei Prozent sind sie einverstanden. Wir können unseren Standpunkt nicht ändern. Hier ist eine Textilfirma, drei Prozent, ich habe auf fünf erhöht. Vermutlich gibt es dreieinhalb, höchstens vier. Nein, sagen Sie nichts. Wenn wir nicht mehr verlangen, verlieren sie nur den Respekt. Und hier schreiben schon wieder die Vereinigten Gummiwerke, sie möchten die Prozente senken, um einen Apparat, der Geräusche macht, in die Kaninchen einbauen zu können. Das wird teuer, kann aber den Verkaufswert erhöhen. Auf wie viel können wir uns einlassen?«

»Was sagen sie?«

»Drei Prozent.«

»Nein, ich meine die Kaninchen.«

»Darüber haben sie nichts geschrieben.«

»Kaninchen sagen nichts. Aber ich glaube, sie schreien, wenn sie Angst haben. Oder wenn sie sterben.«

»Liebe Anna, das hier ist eine Arbeit, die wir durchziehen müssen.«

»Arbeit und Arbeit!«, rief Anna aus. »Ich will kein Kaninchen, das schreit, das ist albern!«

»Aber Sie brauchen es ja nie zu sehen, es wird irgendwo in Mitteleuropa schreien. Und dort hat niemand eine Ahnung, und Sie wissen nichts über die Leute dort.«

»Wie viel wollen sie uns dafür geben?«

»Drei Prozent.«

»Zwei!«, rief Anna aus und beugte sich über den Tisch vor, eine heftige Röte stieg an ihrem Hals hoch. »Zwei Prozent! Ein Prozent für mich und eins für Sie!«

Katri schwieg. Als ihr Schweigen andauerte, begriff Anna, dass sie etwas Wichtiges gesagt hatte, sie wiederholte: »Eins für mich und eins für Sie. Wir teilen. Wir teilen Mitteleuropa auf.« Das klang abenteuerlich, sie sagte es gleich noch einmal. Katri holte tief Luft und antwortete mit einer gewissen Kühle, dass so etwas nicht infrage kommen könne. Aber wenn Anna nichts dagegen habe, könne sie das eine Prozent von den Vereinigten Gummiwerken für Mats aufschreiben.

»Tun Sie das«, sagte Anna. »Das ist gut. Und lassen Sie mich nie mehr etwas von den Vereinigten Gummiwerken hören.«

Katri öffnete das schwarze Heft und schrieb mit ihrer eigenen, großzügig weit ausholenden Schrift:

»Mats, 1 Prozent.«

»Sonst noch etwas Wichtiges?«

»Nein, Anna«, antwortete Katri. »Jetzt ist das Wichtigste getan.«

21

In der Dämmerung, um die Zeit, als im Bootsschuppen Feierabend gemacht wurde, ging Katri zum Anlegesteg hinunter. Es
war wieder starker Wind. Die Brüder Liljeberg hatten sich schon
auf den Heimweg gemacht und kamen ihr entgegen. Sie blieb
vor Edvard Liljeberg stehen. Die anderen gingen weiter.
»Es ist windig«, sagte Katri. »Können wir irgendwo hingehen,
wo es windstill ist?«
»Ich weiß nicht so recht «, antwortete Liljeberg. »Um was geht's
denn?« Er hatte ihr letztes Gespräch noch in guter Erinnerung
und empfand jetzt eine Art Scheu vor ihr.
»Es geht um ein Boot. Ich möchte ein Boot bestellen.«
Liljeberg guckte nur.
Da rief Katri in den starken Wind: »Ein Boot! Ich will, dass du
für Mats ein Boot baust!«
Er antwortete nicht, sondern drehte sich nur um und ging zum
Bootsschuppen zurück und schloss auf. Katri war noch nie im
Bootsschuppen drin gewesen. Der Wind lärmte im Dachblech,
doch der weite Raum vermittelte dennoch einen Eindruck von
Stille, von einer sehr großen Ruhe. Ein Bootsrumpf, der noch
in Arbeit war, zeichnete sich im Dämmerlicht ab, der gewaltige
Rippenkorb der Spanten stand als Silhouette vor der Fenster-
wand. Unterm Dach hingen breite Bretter für zukünftige Boots-
wände zusammengebündelt, es roch nach Hobelspänen, Teer
und Terpentin. Katri verstand, dass ihr Bruder immer wieder an
diesen Ort zurückkehren wollte, in eine geschützte Welt, in der

alles richtig und rein war. Sie drehte sich zu Liljeberg um und fragte, ob er für ein großes, mit Kajüte versehenes Boot Zeit habe.

»Wie groß?«

»Neuneinhalb Meter. In Kraweelbauweise.«

»Kann schon sein, dass wir Zeit haben. Aber es wird teuer. Wie sieht's mit dem Motor aus?«

»Ein Vierzylinder Petroleummotor«, antwortete Katri. »Eine Volvo Penta mit vierzig oder fünfundvierzig PS. Mats hat die Zeichnungen für das Boot gemacht. In meinen Augen sehen sie gut aus. Allerdings verstehe ich ja nichts von Booten.«

»Das klingt aber gar nicht so«, meinte Liljeberg.

»Ich habe seine Aufzeichnungen durchgeschaut.«

»Aha. Ja, inzwischen hat er wohl so manches gelernt. Vielleicht könnte man diese Zeichnungen irgendwann einmal anschauen?«

Katri sagte: »Da ist noch etwas, das ist ein wenig schwierig. Ich will nicht, dass Mats etwas davon erfährt, bevor ich sicher bin.«

»Du meinst, sicher, dass du bezahlen kannst?«

Katri nickte.

»Und wirst du bezahlen können?«

»Ja. Aber jetzt noch nicht. Später, im Frühling.«

»Wenn man das alles so bedenkt«, bemerkte Liljeberg, »muss man schon sagen, das ist eine ziemlich eigenartige Bestellung. Was soll ich den anderen denn sagen? Ich muss doch einen Auftraggeber nennen. Ist das die Aemelin?«

»Nein. Nein, das ist sie nicht.«

»Und du willst in diesem Zusammenhang nicht erwähnt werden?«

»Nein. Noch nicht.«

»Jetzt hör mal her«, sagte Liljeberg und sah ihr in die Augen.

»Was willst du eigentlich, dass ich tun soll? Soll ich für dich schwindeln, da du es nicht selbst tun kannst?«

Katri antwortete nicht. Sie trat an die Wand hin, wo die Werkzeuge in Reih und Glied in ihren Halterungen hingen, glänzend und in vollendeter Ordnung. Prüfend berührte sie ein Werkzeug nach dem anderen. Genau wie ihr Bruder, dachte Liljeberg. Sie nimmt die Dinge auf dieselbe Weise in die Hand. So jemanden kann man doch nicht ausliefern. Mit einer so unsicheren Bestellung auf dem Tapet würden sie wieder alle über die kleine Hexe herfallen. Und wenn aus der Bezahlung nichts werden sollte, wird man das Boot auch anderweitig verkaufen können.

Ziemlich brüsk sagte er: »Na, dann gehen wir jetzt. Ich werde sehen, was ich tun kann.«

Später am Abend kam Liljeberg ins Kaninchenhaus und fragte nach Mats, er habe da etwas von irgendwelchen Bootszeichnungen gehört und wolle sie sich anschauen. Sie gingen gemeinsam die Zeichnungen durch.

»Die hier ist recht gut«, sagte Liljeberg. »Aber da ist noch vieles, was man besser machen könnte. Bring sie morgen mit, wenn du kommst. Aber sprich mit keinem Menschen darüber.«

Daheim sagte er, sie hätten ein Kraweelboot in Auftrag bekommen, neuneinhalb Meter, der Auftraggeber wolle anonym bleiben.

»Und wann hast du das erfahren?«

»Vor einiger Zeit«, antwortete Liljeberg, und seine Lüge kam ihm so selbstverständlich über die Lippen, als würde er jemandem, den er schätzte, ein Geschenk machen.

22

Anna war ziemlich schweigsam und mürrisch geworden. Ein unangenehmer Verdacht hatte sich ihrer bemächtigt: dass sie, eine liebenswürdige und freundliche Person, durch und durch getäuscht und betrogen worden war. Zum ersten Mal in ihrem Leben wurde Anna misstrauisch, und das tat weder ihr noch ihrer Umgebung gut. Sie grübelte und grübelte über all die vielen Nachbarn, Verleger und kleinen, unschuldigen Kinder, die sie alle, alle getäuscht hatten, sie begann, in der Zeit nach rückwärts zu graben, und hielt erst inne, als sie bei Papa und Mama angekommen war. Und natürlich bei Sylvia. Alles, was außerhalb des Kaninchenhauses existierte, wurde zu einer unsicheren Welt voller Schäbigkeit und heimlichem Hohngelächter.

»Vor einem gutgläubigen Menschen kann niemand Respekt haben«, hatte Katri gesagt. Und da saß Katri jetzt wieder mit all ihren Papieren und ihrer geduldigen, eindringlichen Stimme und ermahnte Anna, doch zuzuhören, ihrem eigenen Interesse doch nicht entgegenzuhandeln und einfach Nein zu sagen, bevor sie überhaupt wisse, um was es gehe, diesmal gehe es nämlich um eine große Summe, sie solle sich doch vorstellen, was man mit einer solchen Summe alles machen könne, man müsse nur einsehen, dass sie um einiges erhöht werden könne, die Gegenpartei sei nicht ehrlich gewesen, und so weiter und so weiter.

»Katri«, sagte Anna, »hören Sie jetzt bitte zu, was ich Ihnen sage: Ich sage, dass ich viel lieber belogen und betrogen werden will, als ständig misstrauisch sein zu müssen.«

Da machte Katri einen Fehler, sie antwortete: »Aber das ist jetzt doch zu spät, oder etwa nicht? Sie können nicht mehr wählen, da Sie nicht mehr an die anderen glauben, nicht wahr?«

Anna stand vom Tisch auf. Im Flur öffnete sie die Tür zum Hof sperrangelweit, ging auf Katris Hund zu und flüsterte: »Raus mit dir!« Ihre Hände spürten die kräftigen Muskeln des großen Hundes unter dem rauen Fell, aber Anna hatte keine Angst, sie gab dem Hund einen ordentlichen Stoß und brachte ihn so in den Schnee hinaus, dann nahm sie einen Stecken aus dem Holzstoß und warf ihn so weit wie möglich und rief: »Hol ihn! Los, gehorche!« Der Hund sah sie nur an, ohne sich zu bewegen. Anna warf ein weiteres Mal und wiederholte: »Hol ihn! Los, spiel! Tu, was ich sage!« Vor Wut begann sie zu weinen. Es war sehr kalt. Als sie ins Haus zurückging, ließ sie die Tür offen stehen.

Anna setzte ihre Versuche fort. Jedes Mal, wenn sie wusste, dass das Haus leer war, scheuchte sie den Hund hinaus. Hartnäckig und verbissen warf sie ihre Holzstecken in den Wald hinein, immer wieder, Tag für Tag. Schließlich begann der Hund zu apportieren, sehr langsam, mit angelegten Ohren zog er sich zurück, blieb unbeweglich im Schnee stehen und sah sie an.

»Was tun Sie da eigentlich?«, fragte Mats, der den Weg heraufgekommen und an der Hausecke stehen geblieben war.

»Teddy spielt«, antwortete Anna erschrocken, »alle Hunde apportieren gern …«

»Dieser nicht«, sagte Mats. »Er darf niemandem gehorchen außer Katri. Kommen Sie herein ins Haus.« Mats hatte bisher noch nie streng mit Anna gesprochen. Er hielt die Tür auf, und sie ging rasch an ihm vorbei in den Flur hinein.

Ein Paket mit neuen Büchern war gekommen. »Nimm dir, was du willst«, sagte Anna. »Ich habe heute Abend keine Lust zu lesen.« Mats nahm ein Buch nach dem anderen in die Hand und legte sie wieder zurück, schließlich sagte er bestimmt, es sei etwas Besonderes mit dressierten Hunden, sie dürften nicht gestört und verunsichert werden. Man müsse vorsichtig mit ihnen umgehen. Katri habe den Hund nie apportieren lassen.

»Aber dieser Hund ist unglücklich.«

»Das weiß ich nicht«, sagte Mats. »Auf seine Art geht es ihm gut. Und ich glaube, es ist zu spät, ihn jetzt noch zu ändern.«

»Na, welches Buch willst du haben?«, fragte Anna ungeduldig.

»Lass mal sehen, was sie geschickt haben ... *Klein-Eriks Seereise*. Unverschämtheit. Offensichtlich schicken sie nur Ramsch, den sie loswerden wollen. Das habe ich mir gleich gedacht ... Hast du Joseph Conrad gelesen? *Taifun*?«

»Nein.«

Anna holte das Buch. »Hier hast du es. Lies ausnahmsweise mal etwas Lebendiges. *Taifun* ist das Beste, was je über ein Schiff im Sturm geschrieben worden ist. Das ist viel mehr als ein Abenteuer. Mehr als der Sturm ... Glaube mir, sogar deine literarische Schwester könnte Joseph Conrad gelesen haben.« Nach ein paar Augenblicken fügte Anna hinzu: »Wenn sie es überhaupt verstanden hat.«

Mats vermied es, Anna anzuschauen, er schlug das Buch auf, mit derselben Behutsamkeit, mit der er alles anfasste, blätterte er darin und bemerkte vorsichtig, dass Katri wohl das meiste verstehe, sie sei sehr intelligent. »Viel intelligenter als wir«, sagte er.

»Das ist möglich«, sagte Anna. »Du kannst für dich selbst sprechen. Aber eines musst du wissen, mein junger Freund, begabt ist sie nicht. Und das ist etwas ganz anderes.«

Nachdem Anna gegangen war, machte Mats sich eine Tasse Tee, dann setzte er sich an den Küchentisch und begann zu lesen. Im Sturm kam das Haus zur Ruhe.

Anna dagegen hatte die Freude am Lesen verloren. Die Helden des Meeres, des Dschungels und der Wildnis waren plötzlich zu Bildern ohne Leben geworden, sie hatten aufgehört, den Zutritt zur ehrlichen Welt der gerechten Belohnungen, der ewigen Freundschaften und der berechtigten Vergeltungen zu gewähren. Anna konnte nicht begreifen, wie das passiert war, und fühlte sich ausgeschlossen.

Eines Tages erklärte Anna so ganz nebenbei, dass sie in Zukunft überhaupt nichts mehr mit Geschäften zu tun haben wolle, sie wolle nicht über sie reden und nichts von ihnen wissen; Katri, die so viel über Prozente wisse, könne sie nach ihrem eigenen Gutdünken aufteilen.

»Aber Anna, das kann ich nicht tun. Die wichtigsten Briefe kann ich nicht allein verantworten. Dies hier ist Ernst und kein Spiel.«

»Nein, spielen, das können Sie nicht«, versetzte Anna mit einem kleinen Anflug von Grausamkeit. »Vom Spielen verstehen Sie nichts, das ist der Fehler an der ganzen Sache.«

Ungefähr um diese Zeit erfand Katri ihr Prozentespiel, das sie für sich selbst »Spielen für Mats« nannte. Das Ganze war sehr einfach: Vierecke aus Karton, auf denen verschiedene, deutlich geschriebene Prozente standen, 5 Prozent oder 4½ Prozent, 7, 10 … sie wurden wie Spielkarten verteilt. Das Spiel musste rasch und ohne lange Erklärungen vor sich gehen.

Katri sagt: »Diese Personen bieten vier Prozent. Was setzen wir?«

»Fünf Prozent«, antwortete Anna augenblicklich und schleuderte ihre Karte auf den Tisch. »Lassen Sie sich bloß nicht übers Ohr hauen!«

»Und wie viel für Mats?«

»Zweieinhalb.«

»Nein«, sagte Katri, »ich setze vier für Sie und zwei für Mats. Diesmal hatte ich das Prioritätsrecht. Jetzt haben wir ein Prozent gewonnen, weil wir auf fünf erhöht haben. Das geht in die Spielkasse.«

»Und was machen wir mit der Spielkasse?«

»Das dürfen Sie bestimmen.«

»Eine Bettdecke für Teddy«, sagte Anna und lachte auf. »Und jetzt? Nächster Vorschlag?«

»Die Firma schlägt siebeneinhalb vor.«

»Zehn!«, rief Anna. »Aber für Mats nur vier.«

»Anna, Sie mogeln. Die Zehn können Sie gar nicht haben.«

»Na, dann eben die Acht. Aber Mats bekommt vier, wie ich gesagt habe, nein, fünf. Fünf Prozent.«

Katri schrieb es auf. Ihre Gegenspielerin lehnte sich im Stuhl zurück und wiederholte: »Und jetzt? Das Nächste!«

»Jetzt ist nichts mehr da. Alles, was ich im Schrank gefunden habe, ist beantwortet.«

»Aber wir können doch so tun als ob!«, schlug Anna vor. »Ich möchte weitermachen.«

Sie begannen um fiktive Summen zu spielen. Meistens spielten Anna und Katri, wenn die Dämmerung anbrach. Dann musste das Feuer im Kamin angemacht werden, zwei Kerzen kamen auf den Tisch, Papier und Bleistift, die Karten wurden verteilt, sie hoben ab und machten ihre Angebote, warfen die Karten auf den Tisch, jede Karte repräsentierte große Summen, die allmählich in die Millionen hochklettern konnten. Katri schrieb alles auf. Sie fand sich mit dem Spiel ab und ließ meistens Anna gewinnen, doch das unglaubwürdige Spiel plagte sie, in ihren Augen beeinträchtigte es die Würde der Zahlen. Die Zeit, als sie um Annas Geschäfte gespielt hatten, oder vielmehr Annas Art, über diese Geschäfte zu reden, hatte Katri in ein Gefühl der Unwirklichkeit hineingetrieben, und oft fiel es ihr schwer, das saubere Gleichgewicht und den Inhalt der Zahlen wiederherzustellen. Sie hatte die neuen Gewinne aus ehrlichen Spielen zu den früheren wiedereroberten Summen addiert, die ihren Berechnungen nach auf Mats' Konto gehörten, und mit noch größerer Genauigkeit hatte sie Annas Prozente notiert. Doch das Spiel um das fiktive Geld störte Katri. Annas Art, mit Nullen umzugehen, war verwirrend, und zum ersten Mal in ihrem Leben verlor Katri den Überblick über die Zahlen. Sie konnte lange in ihrem Zimmer sitzen, die Hände fest an die Augen gepresst, mit dem Versuch beschäftigt, das tatsächliche vom willkürlichen Spiel zu unterscheiden. Die Zahlen jagten sie voran, immer weiter, aber sie hatten aufgehört, ihre Verbündeten zu sein. Und Katri spürte, dass Annas Spiel eine Art von Strafe war. Die vergessenen Briefe waren beantwortet, und neue kamen recht selten. Anna wirkte enttäuscht. »Haben wir heute keinen, den wir reinlegen können? Dann nehmen wir das Millionenspiel.« Das war ein Spiel, in dem der Gegner mit Prozenten kleingemacht werden konnte, ob mit höheren oder niedrigeren, spielte dabei keine Rolle.

Es war eine Fehlentscheidung, zu Auktionspikett überzugehen. Anna war eine schlechte Verliererin, sie ärgerte sich und wurde unfreundlich. Da kehrten sie wieder zum Millionenspiel zurück.

An einsamen Tagen führte Anna den Hund auf den Hinterhof hinaus und ließ ihn apportieren. Der Hund hatte sich verändert. Wenn man im Flur an ihm vorbeiging, konnte es vorkommen, dass er hochfuhr und die Zähne zeigte.

»Platz!«, sagte Katri. Und der Hund legte sich hin.

23

Unter Annas Schlafzimmerfenster stand ein Blumentisch aus weiß gestrichenem Schmiedeeisen, der schon seit Langem leer war. Hier wollte Katri die Ordner aufreihen, die Annas Privatbriefe enthielten und die Korrespondenz ihrer Eltern. Diesmal waren die Ordner in weißes Leinen eingebunden, damit sie zu den Möbeln passten.

»Aha«, sagte Anna. »Die Briefe von Papa und Mama. Ich nahm an, die lägen schon längst draußen auf dem Eis. Haben Sie die auch gelesen?«

Katri erstarrte, plötzlich sah sie, wie sehr Annas Gesicht sich verändert hatte, es war geschrumpft und hatte einen listigen Zug angenommen, der nicht schön war. Sie antwortete: »Nein, ich habe sie nicht gelesen.«

»Unglaublich«, sagte Anna, »alles genau katalogisiert, mit der Jahreszahl auf dem Rücken. Jetzt kann ich jederzeit alles aufschlagen, was ich will, zum Beispiel einen Brief, den irgendjemand 1908 an Papa schrieb.«

Katri beobachtete sie eine Zeit lang und ging dann, ohne etwas zu sagen.

Anna wanderte in ihrem Zimmer umher und rückte alles mögliche hierhin und dorthin, um es schließlich wieder zurückzustellen, und ihre boshafte Laune folgte immer hinterher, bis das Bedürfnis danach, getröstet zu werden, überwältigend wurde. Zum Schluss nahm Anna den weißen Ordner mit Sylvias Briefen und setzte sich auf die Bettkante. Die Briefe waren chronologisch geordnet. Anna übersprang die Schulzeit und Sylvias Ehe und alle Karten von Sylvias Italienreise. Dann kamen die Beileidsbriefe, als Annas Eltern gestorben waren, sie starben kurz hintereinander. Ungeduldig suchte Anna weiter, jetzt musste es allmählich kommen, die ersten Aquarelle. Hier war es. »Liebe Anna, wie schön, dass Du etwas zu tun hast, es erleichtert immer etwas, wenn man eine kleine Beschäftigung hat.« Nein – noch nicht. Es war noch nicht wichtig geworden ... erst später, nachdem Sylvia sie gesehen hatte. Oder als das erste Buch herausgekommen war, sie wusste es nicht mehr ... Auf jeden Fall, das erste Mal, als sie das erste Mal über Annas Arbeit gesprochen hatten, wirklich ernsthaft gesprochen hatten, und Sylvia gesagt hatte ... Sie hatte Anna geholfen, auf irgendeine Art hatte sie ihr wirklich weitergeholfen. Vielleicht hier: »Das Leben ist kurz, aber die Kunst ist lang, kämpfe tüchtig weiter, meine liebe kleine Anna.« Nein. Nein, nein. Und hier: »Nimm es nicht so ernst, die Inspiration kommt eben, wenn sie kommt.« Und: »Ich finde Deine Kaninchen sehr niedlich, über die brauchst Du Dir keine Sorgen zu machen.« Gegen Ende der Korrespondenz: »Was meinst Du damit, dass Du die Landschaft beibehalten willst, ohne jemanden zu täuschen? Hast Du mein kleines Neujahrsgeschenk erhalten ...« Jetzt wurden die Abstände zwischen den Briefen größer, nach und nach gingen sie in Weihnachtskarten über. Anna blätterte zurück, um das Wichtige, das Entscheidende zu finden, das Sylvia über ihre Arbeit gesagt hatte, fand es aber nicht. Sylvia hatte nichts verstanden und sich für nichts interessiert, Sylvia war unverbesserlich sentimental. Anna stellte den leeren Ordner an seinen Platz und steckte die Briefe in eine Plastiktüte, dann ging sie in den Keller hinunter, stopfte Blumentopfscherben in die Tüte und band sie ordentlich zu. Bis auf den

Hund war niemand daheim. Anna zog sich warm an und schlug den Weg zum Strand hinunter ein. Das Eis war sehr glitschig und der Weg hinaus zum großen Möbelhaufen länger, als sie gedacht hatte. Es war ein stattlicher Haufen, fast wie ein Denkmal, sie versuchte, irgendetwas zu unterscheiden und wiederzuerkennen, vermochte es aber nicht, warf dann ihre Tüte hin und machte kehrt. Niemand hatte ihren Abschied von Sylvia gesehen. Im Flur sagte Anna zum Hund: »Und was sagst du jetzt«, aber diesmal ohne Triumph, es war eher eine Feststellung.

24

Mats steckte tagsüber stets im Bootsschuppen, und jeden Abend nach dem Essen ging er in sein Zimmer hinauf. Katri stellte keine Fragen.

Wahrscheinlich sitzt er dort oben und zeichnet, irgendein Detail, das er besser ausformen will. Er liest nicht mehr, für ihn gibt es nur noch das Boot. Bald muss ich die Anzahlung für Liljeberg haben, ein Drittel des Preises. Die nächste Rate, wenn es beplankt und verspundet ist, und die letzte, wenn das Boot fertig ist. Wenn ich die Anzahlung beisammen habe, kann ich Mats sagen, dass es sein eigenes Boot ist, das er da baut. Aber jetzt noch nicht, ich wage noch nicht, mit Anna zu sprechen, sie ist unberechenbar geworden, womöglich spielt sie dann falsch und fertigt Mats' Prozente als eine willkürliche Idee ab, ich muss abwarten und sehr vorsichtig sein mit ihr. Immer warten, so weit ich mich zurückerinnern kann, habe ich nichts anderes getan als gewartet, darauf gewartet, endlich handeln zu dürfen, alles, was ich an Einsicht, Voraussicht und Kühnheit besitze, einsetzen zu dürfen, auf die große Veränderung habe ich gewartet, die alles gerecht entscheidet und an seinen richtigen Platz rückt. Das Boot ist sehr wichtig, aber es ist nur der Anfang. Ich könnte ihr Erbe vermehren und verdoppeln, totes Geld, das brachliegt, ich könnte es klug anlegen, ihm Leben schenken und ihr alles zurückgeben, doppelt und vielfach, in einem Millionenspiel, das kein Spiel mehr ist, ein Spiel, das meiner würdig ist. Es kann noch nicht zu spät sein, es darf noch nicht zu spät sein!

25

Eines Tages, als Katri mit dem Hund hinausgegangen war, öffnete Anna ihre Arbeitsschublade, die einzige ihrer Schubladen, die sich stets in tadelloser Ordnung befand. Sie war den ganzen Winter über geschlossen gewesen. Anna begann eine Zeremonie auszuführen, die sich jedes Jahr wiederholte, wenn der erste Frühlingsnebel vom Meer hereintrieb. Sie nahm den Schrein aus Teakholz mit der abgegriffenen, sorgfältig eingeölten Oberfläche heraus und sah ihre Farben kritisch durch. Sie brauchten nicht ergänzt zu werden. Dann prüfte sie die weichen Spitzen der Pinsel, Marderhaar, die besten Pinsel, die man auftreiben konnte. Sehr umständlich musterte Anna ihr gesamtes Material, und alles war so, wie es sein sollte. Sie legte es genau in derselben Ordnung wie zuvor wieder zurück. Dann ging sie in den Wald hinter ihrem Haus und grub ein Loch in den Schnee. Dort unten lag das Moos. Sie presste ihre Hand auf den gefrorenen Boden und spürte, wie das Eis langsam zu schmelzen begann. Aber noch war es nicht an der Zeit, noch lange nicht.

26

Katri ging auf die Landzunge hinaus, sie hörte die ersten Birk-
hähne am Waldrand balzen. Das Eis war grau wie Asphalt, und
dunkelblaue Wolkenschatten bewegten sich in langen Bändern
darüber hinweg. Der Hund war unruhig und blieb nicht bei Fuß,
vorne am Leuchtturm lief er davon. Mit jener besonderen, sehr
leisen Stimme, die dem Hund vertraut war und der er zu gehorchen pflegte, gab sie ihm einen Befehl, er schwenkte zur Seite wie
ein Wolf, kam aber nicht zu ihr her. Katri holte die Zigaretten
heraus. Noch einmal sprach sie mit noch leiserer Stimme einen
Befehl aus, das Tier bewegte sich nicht. Sie wandte sich ab. Das
Licht war stark und durchsichtig, die Landschaft schien von
Erwartung geprägt. Am Ufer war das Eis schon brüchig, und
das Wasser atmete in den Rissen, stieg herauf und überspülte
die Eisschollen, um dann wieder zurückzusinken. Katri zündete
sich eine Zigarette an, knüllte die leere Schachtel zusammen
und warf sie aufs Eis hinaus. Da apportierte der Hund, er stürzte durchs Strandwasser hinaus, packte die Schachtel, trug sie
zurück und legte sie ihr zu Füßen. Sein Fell war gesträubt, der
Kopf zur Seite gewandt, doch seine Augen blickten sie unver-
wandt an, und Katri sah und verstand, dass ihr Tier ein Gegner
geworden war. Sie ging nach Hause und trat auf Anna zu und
sagte: »Anna, Sie haben meinen Hund zerstört. Das haben Sie
heimlich gemacht. Ich kann mich nicht mehr auf ihn verlassen.«
»Was heißt da verlassen«, gab Anna zurück. »Ich weiß nicht,
was Sie meinen … Hunde wollen doch spielen, oder nicht?«

Katri ging zum Fenster hinüber, mit dem Rücken zu Anna fuhr sie fort: »Sie wissen sehr wohl, was Sie getan haben. Aber der Hund weiß nicht mehr, was von ihm erwartet wird. Ist das so schwer zu verstehen?«

»Ich verstehe nicht!«, rief Anna aus. »Einmal soll man spielen, dann wieder nicht ...«

»Sie spielen nicht mit dem Hund um des Spiels willen, und das wissen Sie.«

»Und Sie, Katri Kling! Ihr Spiel um Geld ist nicht einmal amüsant, und glauben Sie ja nicht, dass Ihr Hund besonders glücklich ist, er gehorcht nur ...«

Katri drehte sich um. »Gehorchen«, sagte sie, »Sie wissen nichts vom Gehorchen. Gehorchen bedeutet, dass man jemandem Glauben schenken und Befehlen folgen kann, die konsequent sind; das ist eine Erleichterung, eine Befreiung von Verantwortung. Eine Vereinfachung. Man weiß, was man zu tun hat; es bedeutet Sicherheit und Ruhe, dass es nur noch eine einzige Person gibt, an die man zu glauben braucht.«

»Eine einzige!«, rief Anna aus. »Was für eine Vorlesung! Und warum sollte ich Ihnen gehorchen!?«

Katri antwortete kühl: »Ich dachte, wir sprechen vom Hund.«

27

Eines Morgens erklärte Anna, sie wolle ihre Post selbst im Kaufladen abholen.

»Tun Sie das ruhig«, sagte Katri. »Aber es ist sehr glatt draußen,
da sollten Sie die Schnürstiefel nehmen, nicht die Filzstiefel. Und
vergessen Sie Ihre Sonnenbrille nicht.«

Anna zog die Filzstiefel an. Der Weg befand sich in seinem al-
lerschlimmsten Zustand, und kurz vor der Straße landete sie
im Schnee. Sie blickte hastig über die Schulter, aber alle Fenster
waren leer.

»Ach, Fräulein Aemelin«, sagte der Kaufmann, »wie ungewöhnlich, ausnahmsweise mal Sie hier im Laden sehen zu dürfen. Wir
haben uns fast ein wenig Sorgen gemacht, man weiß ja nie so
genau, was bei Ihnen drüben alles passiert … In letzter Zeit also.
Was darf es sein?«

»Ich bekam Lust auf Bonbons, aber ich habe vergessen, wie sie
heißen … Es ist so lange her. Irgendetwas mit kleinen Kätzchen
drauf. Länglich und mit kleinen Kätzchen.«

»Miezmiez«, sagte der Kaufmann zärtlich. »Das ist ein altes
Fabrikat. Aber wir haben auch etwas Neues, mit kleinen Hundchen drauf.«

»Nein danke. Das mit Katzen.«

»Wie Sie wünschen. Es ist bestimmt nicht leicht, so einen großen
Hund im Haus zu haben? Es heißt, er sei wild.«

»Der Hund ist sehr wohlerzogen«, bemerkte Anna gemessen,
sie hatte nicht vergessen, dass der Kaufmann sie betrogen hatte.

Sein Lächeln war nicht freundlich, ja nicht einmal höflich. Anna drehte ihm den Rücken zu und ging zum Lebensmittelregal mit den Dosen hinüber, aber wie immer war es unmöglich, sich zu entschließen, worauf sie eigentlich Lust hatte. Frau Sundblom kam herein und grüßte mit übertriebenem Staunen, sie kaufte Kaffee und Makkaroni, nahm eine Limonade und setzte sich an den Fenstertisch, um zuzuhören.

Der Kaufmann sagte: »Und Fräulein Kling soll ja so eine ausgezeichnete Haushälterin geworden sein. Ja, die weiß, was sie tut, das habe ich immer gesagt. Und der Bruder scheint ja pfiffiger zu sein als man angenommen hatte. Jetzt lassen Sie ja sogar ein Boot nach seinem eigenen Entwurf bauen, nicht wahr?«

»Was ist denn das da?«, fragte Anna.

»Das ist Hefe. Das benützen die Leute, wenn sie Brot backen wollen.«

Frau Sundblom gackerte plötzlich los und schenkte sich noch mehr Limonade ein.

»Boote«, begann der Kaufmann wieder und lächelte dabei, »Boote sind doch etwas Wunderbares. Ich habe schon immer etwas dafür übrig gehabt. Das Boot haben Sie doch in Auftrag gegeben, Fräulein Aemelin, nicht wahr?«

»Nein«, antwortete Anna. »Ich weiß nichts über Boote, leider. Ich lese über sie. So, das wäre alles. Schreiben Sie es bitte auf die Rechnung.«

Auf einmal schien der Raum vor lauter Bosheit eng zu werden. Als Anna ging, rief Frau Sundblom hinter ihr her: »Einen Gruß an Fräulein Kling, bitte richten Sie Fräulein Kling einen ganz besonderen Gruß von mir aus!«

Anna machte sich auf den Heimweg und vergaß, die Post mitzunehmen. Was hatten sie gesagt? Nur ganz normales Ladengeschwätz ... Nein. O nein, sie ließ sich von niemand mehr täuschen, sie wusste Bescheid, sie waren bösartig, grinsten innerlich über sie, Anna Aemelin, sie grinsten über Katri und Mats ... Nie mehr würde sie dorthin gehen. Sie würde nirgends hingehen, außer in den Wald, sie musste wieder arbeiten, so schnell wie möglich ... sofort ... Miezmiez schmeckte nicht mehr so wie vor vierzig Jahren und blieb auf unangenehme Art in den Zähnen hängen. Anna begann schneller zu gehen und richtete ihren Blick nur nach unten auf die Straße. Ein paar Nachbarn gingen vorüber, doch deren Gruß bemerkte sie gar nicht, sie wollte nur nach Hause, nach Hause zu der entsetzlichen Katri, in ihre eigene, veränderte Welt zurück, die sehr grimmig geworden war, in der es aber nichts Schlechtes oder Verstohlenes gab. Am Ende der Dorfstraße kam die Nygårds-Wirtin Anna entgegen. Sie stellte sich ihr in den Weg und sagte: »So eilig, Fräulein Aemelin? Sind Sie unterwegs, um festzustellen, ob es allmählich Frühling wird? So langsam müsste der Boden jetzt doch herausschauen.«

Der ruhigen, freundlichen Stimme gelang es, Anna zu bremsen, sie blieb im Schneematsch stehen und hob den Kopf, die Frühlingssonne brannte in den Augen. »Wie geht es Ihnen dort oben im Kaninchenhaus?«

Anna antwortete rasch: »Ach so! So nennen Sie es also hier im Dorf!«

»Ja sicher. Wussten Sie das nicht?«

»Nein. Nein, wirklich nicht.«

Die Wirtin sah Anna ernst an und versetzte: »Aber das ist doch ein Kosename. Sie meinen nichts Böses damit.«

»Bitte entschuldigen Sie, ich habe es ein bisschen eilig«, sagte Anna. »Sie werden es nicht verstehen, aber gerade jetzt habe ich sehr wenig Zeit ...«

Unten zum Strand zu wurde die Eisglätte auf der Straße noch schlimmer. Annas Stock rutschte aus, und es half auch nicht viel,

breitbeinig mit nach außen gerichteten Zehenkappen einherzu-
schlurfen, da kam sie sich nur lächerlich vor. Anna trat in den
Schneewall am Wegrand hinauf, um sich zu erholen, dann ging
es wieder weiter, die Unruhe wuchs die ganze Zeit, so schnell wie
möglich musste sie jetzt die Mauer aus Tannen erreichen, ihren
eigenen Boden, auf dem sauberer Schnee lag, ohne die Spuren
anderer Menschen. Unten am Weg standen die Dorfkinder und
schrien die ganze Zeit immer wieder dasselbe, etwas Rhythmi-
sches, ein einziges Wort, das sie nicht verstand, alle sahen zu
ihrem Haus hinauf.
»Ihr braucht nicht so zu schreien!«, rief Anna. »Ich bin doch
hier. Was wollt ihr?«
Die Kinder verstummten und zogen sich zurück.
»Ihr braucht keine Angst zu haben«, sagte Anna. »Es war lieb
von euch, herzukommen … Aber ihr müsst verstehen, gerade
jetzt habe ich keine Zeit für euch, es ist sehr, sehr eilig …«
Sie versuchte, die Bonbontüte in ihrer Tasche zu finden. Die Kinder schenkten ihr keine Beachtung, sie hatten sich wieder dem
Haus zugewandt und fingen erneut an zu schreien, es klang wie
Hexe, Hexe, Hexe …
Anna ging an ihnen vorbei den Weg hinauf, die Bonbontüte
klebte ihr an den Händen, sie riss sie entzwei und warf die Bonbons in den Schnee.
»Da habt ihr«, rief sie, drohte mit dem Stock und machte sich
daran, den glatten Weg hinaufzugehen.
Der Wind, der durch die Bäume hinterm Haus strich, kam von
landeinwärts. Der nasse Neuschnee glitt schwer von den Tan-
nenzweigen und fiel mal hier, mal dort zu Boden, der ganze Wald
schien voller Schritte und Flüstern zu sein. An der Sonnensei-
te war die Erde zwischen den Baumwurzeln hervorgekommen,
dunkel und nass mit einzelnen bräunlichen Preiselbeerbüschen

darauf. Anna blieb immer wieder stehen, als warte sie auf etwas, und ging dann wieder weiter.

»Dieses Jahr ist sie früh dran«, sagte Liljeberg hinter seinem Fenster, »vielleicht hat sie sich im Kalender geirrt, das gute Fräulein Aemelin. Und ganz so sicher auf den Beinen wie sonst ist sie auch nicht.«

»Kein Wunder, mit einer Hexe im Haus«, bemerkte sein Bruder. »So etwas zehrt auf die Dauer an den Kräften.«

Da drehte Edvard Liljeberg sich ins Zimmer um und sagte: »Halt jetzt lieber den Mund. Diese Hexe, die du so einfach abfertigst, ist zehnmal klüger als du, und besonders viel besser als sie bist du auch nicht.«

Auf demselben Weg, den sie jedes Jahr einzuschlagen pflegte, folgte Anna dem Waldrand, mit derselben Spannung, mit der angesammelten Erwartung des ganzen Winters, von Baum zu Baum. Sie erkannte ihren Waldboden wieder, aber heute, an diesem voreilig gewählten Tag, barg der schwarze Boden keine Versprechen. Der Boden bestand nur aus Flecken feuchter Erde, er vermittelte keine Ahnungen, keinen Glauben an kommende Wunder.

Anna ging nach Hause.

28

Anna bezeichnete sich selbst im Stillen als eine Abbilderin des Bodens; dies hatte sie bei irgendeiner Gelegenheit einmal erwähnt und zu ihrer Überraschung gemerkt, dass ihre Zuhörer dies als ein Zeichen von Anspruchslosigkeit auffassten. Dabei verbarg sich ganz im Gegenteil hinter dieser Bezeichnung die ruhige, überlegene Überzeugung, dass sie, Anna Aemelin, genaugenommen die Einzige war, die den Waldboden auf die einzig richtige Art abbilden konnte. Und dieser wachsende, ewig lebendige Boden konnte sie nie enttäuschen.

Nach ihrer ersten Wanderung durch den Wald wurde Anna von heftiger Angst gepackt. Niemand und nichts hätte sie beruhigen können, sie fühlte sich beraubt und ohne Halt. Der Tag ging vorüber, und ihre Angst nahm nur zu. Anna wusste kaum, warum sie die Briefe hervorholte, die Papa und Mama im Laufe ihres langen Lebens erhalten hatten, aber es hatte mit ihrer Arbeit zu tun, mit ihrem Verhältnis zur Arbeit. Irgendwo in all diesen vollgepackten Ordnern musste eine Erklärung zu finden sein, vielleicht ein Hinweis darauf, warum und wann das Kind Anna oder die junge Anna sich vom Erdboden im Wald so hatte fesseln lassen, warum sie sich dieser einzigen Sache geweiht hatte, von der sie noch nie im Stich gelassen worden war, noch nie bis auf den heutigen Tag. Das war wichtig. Irgendjemand musste irgendwann einmal von ihr gesprochen haben. Es gab viele Briefe, viel zu viele. Doch die Menschen, die an Julius und Elise Aemelin geschrieben hatten, hatten ihre Tochter nicht erwähnt.

Anna las weiter, immer weiter, schneller und schneller, las quer, sie wollte kein Mittagessen, und als es dunkel wurde, machte sie die Lampe an und las weiter, arbeitete sich durch eine Flut von Wörtern, Mitteilungen und Kommentaren, die einst für diese seit Langem Toten von Bedeutung gewesen waren, und mit jedem Ordner, den sie aufschlug und wieder beiseitelegte, wurde Anna älter, aber niemand redete von ihr. Sie schrieben vielleicht »einen Gruß an Deine Tochter« oder »fröhliche Weihnachten Euch dreien«. Sie existierte nicht. Da war Papas Korrespondenz mit den Behörden, da waren die Quittungen seiner Mitgliedsbeiträge an Vereine und Klubs, da waren Mamas Haushaltsbücher, die Fahrkarten, die sie von einer Auslandsreise aufgehoben hatte, Karten, die irgendjemand von einem jener südlichen Orte geschrieben hatte, wo die Leute plötzlich an alle die denken, die sie sonst nie sehen, und »meine liebe Elise, ich gratuliere Dir zum Abitur Deiner Tochter«. Nach und nach die Beileidsbriefe an Elise Aemelin, und dann war es aus.

»Ach ja«, sagte Anna. »Vielleicht war das der Zeitpunkt, an dem ich anfing, den Erdboden abzubilden.«

29

Am nächsten Morgen wollte Anna nicht aufstehen. »Geh weg«, sagte sie.

»Fühlst du dich nicht wohl?«, fragte Katri.

»Es ist nichts. Ich habe keine Lust.«

Katri stellte das Teetablett auf den Nachttisch. »Das ist das falsche Buch«, sagte Anna, »das habe ich schon gelesen. Übrigens war es so albern, dass ich mir nicht einmal die Mühe gemacht habe, herauszufinden, wie es aufhört, die sind doch alle gleich, immer wieder dieselben Sachen«, und dann zog sie sich das Federbett über den Kopf und wartete darauf, widersprochen zu bekommen. Doch Katri ging aus dem Zimmer. Im Flur hielt sie Mats an, der gerade hinausgehen wollte, und sagte: »Könntest du nicht ein Weilchen mit Anna reden? Sie will nicht aufstehen, aber es fehlt ihr nichts, sie schmollt nur.«

»Warum denn?«, fragte Mats.

»Ich weiß nicht.«

»Aber was soll ich denn sagen?«

»Nun, was sagt ihr denn sonst so abends zueinander?«

»Nicht viel«, antwortete Mats. »Wir unterhalten uns über Bücher.«

»Sie will nicht mehr lesen.«

»Ich weiß. Das ist schlimm.«

»Und was ist eigentlich das Schlimme?«

Mats sagte nichts, er sah seine Schwester nur an. Sie trennten sich, und Mats ging zu Anna hinein und erwähnte so ganz allgemein, dass die Boote bald vom Stapel laufen könnten, es werde wohl nicht mehr allzu lange dauern, bis das Eis aufgehe.

»Du, Mats«, sagte Anna, »ich weiß schon, du bist hier, um mich zu trösten, und es ist Katri, die dich hergeschickt hat.«

»Das stimmt.«

»Und es ist mir völlig gleich, wann die Boote vom Stapel laufen.«

»Da irrst du dich, Tante Anna. Das ist gar nicht gleich«, versetzte Mats ernst. »Ich kann dir nämlich berichten, dass wir gerade jetzt ein sehr schönes Boot im Bau haben.«

»Soso, tatsächlich.«

»Und das Boot wird nach meinen Plänen gebaut.« Mats zögerte bei der Tür, fand aber nichts mehr von Bedeutung, was er hätte sagen können, schließlich fragte er, ob es noch etwas gebe, was er tun könne.

»Ja, das gibt es«, antwortete Anna. »Du kannst das alles hier aufs Eis hinaustragen. In diesem Haus ist es ja so eng geworden, dass man nicht mehr atmen kann!«

»Das wäre doch schade«, wandte Mats ein. »Die Ordner haben viel Geld gekostet. Katri hat extra weiße besorgt, damit sie zu den Möbeln passen.«

»Trag sie hinaus«, sagte Anna, »trag sie zu den Möbeln auf dem Eis hinaus, dort passen sie ganz ausgezeichnet hin. Und nachher versinkt alles gleichzeitig. Das Eis geht auf, sagst du? Ich würde gern zuschauen, wenn das ganze Gerümpel versinkt.«

Anna kam nicht zum Mittagessen, aber später am Abend, als es dunkel war im Haus, ging sie in die Küche hinunter, um sich etwas Leckeres aus dem Kühlschrank zu holen. Kaum hatte sie zwischen Katris Plastikpaketen zu suchen begonnen, als Mats in der Tür auftauchte und Hallo sagte.

»Da bist du ja wieder«, sagte Anna. »Sieh nur, wie deine Schwester das hier organisiert hat! Kein Mensch kann wissen, was sich darin befindet, ohne den ganzen Krempel auszupacken ... Hast du sie aufs Eis hinausgebracht?«

»Ja, das habe ich getan. Aber wenn du willst, dass ich noch mehr hinaustrage, musst du dich beeilen. Das Eis kann jeden Moment aufgehen.«

»Ich suche den Käse. Aber warum der Käse in Plastik verpackt werden muss, das begreife ich einfach nicht. Glaubst du, dass es sinkt?«

»Das meiste. Aber manches wird wohl ein Weilchen umhersegeln, bevor es verschwindet.«

»Weißt du, Mats, manchmal werde ich so müde, obwohl ich gar nichts habe, das mich müde macht. Was hast du vorhin von Bootsplänen gesagt?«

»Das sind nur meine eigenen.«

»Ich möchte sie anschauen.«

»Aber die besten sind unten im Bootsschuppen, ich habe nur die ersten hier.«

»Bring sie her.«

»Aber sie sind nicht besonders gut, sie sind so unordentlich.«

»Mats«, sagte Anna, »bring sie her. Dies ist vermutlich das einzige Mal in deinem Leben, dass du die Gelegenheit hast, deine Skizzen einer Person zu zeigen, die von der Idee der Skizze etwas versteht.«

Anna saß lange schweigend über den Zeichnungen, sie ging sie alle einzeln durch. Schließlich sagte sie: »Diese Linie ist gut.«

»Das wird Sprung genannt«, erklärte Mats.

Anna nickte. »Das ist ein gutes Wort. Hast du schon einmal daran gedacht, wie schön und sachlich genau die Arbeitsterminologie häufig ist? Berufsbezeichnungen zum Beispiel, die Namen der Werkzeuge, die Namen der Farben?«

Mats lächelte Anna an. Anna sah, wie sich die Linie in einer

Zeichnung nach der anderen auf ihre eigene endgültige Kurve aus beherrschter Kraft zubewegte, beharrlich und mit geduldigem Suchen, und plötzlich erblickte sie zum ersten Mal die Schneewehe draußen auf der Veranda, die Schneewehe hatte die gleiche Kurve.

»Dein Boot wird schön, glaube ich«, sagte sie.

Mats begann zu erklären, in einem Strom aus Worten begann er Anna über die Seetüchtigkeit und Tragfähigkeit von Booten zu unterrichten, ungehemmt benützte er eine Fachterminologie, die ihr fremd war, Anna unterbrach ihr aufmerksames Schweigen jedoch nicht mit Fragen. Schließlich lehnte sich Mats in den Stuhl zurück, streckte die Arme über den Kopf und lachte: »Zwanzig PS! Und dann einfach hinaus! Unendlich weit hinaus.«

»Ja«, sagte Anna. »Unendlich weit hinaus. Jetzt verstehe ich, warum du keine Lust mehr hast, alte Seefahrergeschichten zu lesen, jetzt doch nicht, während du dein eigenes Boot baust.«

Mats antwortete: »Aber es ist nicht mein Boot.«

»Ist es nicht dein Boot?«

»Nein, es sind nur meine Pläne, das Boot wird verkauft.«

»Und wer wird es kaufen?«

»Das wissen Liljebergs wohl noch nicht. Sie bauen es einfach.«

Mats stand auf und rollte seine Papiere zusammen.

»Warte«, sagte Anna. »Wenn du ein eigenes Boot hättest … Was würdest du dann tun?«

»Hinausfahren, natürlich. Und viele Tage fortbleiben.«

»Allein?«

»Klar.«

Anna sagte: »Früher einmal, da sehnte ich mich danach, ein Boot zu haben, ein eigenes Boot, das am Strand lag, mit dem man jederzeit aufbrechen konnte. Ohne dass die anderen es wussten … Ich stellte mir ein weißes Ruderboot vor. Kannst du mit Motoren umgehen?«

»Ich lerne es gerade«, antwortete Mats.

Die Tür zum Hof ging auf und wurde wieder geschlossen, sie warteten und hörten Katri vorbeigehen.

Anna fragte: »Ist es schwierig?«

»Nicht, wenn man es will. Wenn das Boot vom Stapel gelaufen ist, kommt die letzte Musterung. Und dann muss man an Motorkasten, Treibstofftanks und Bänke denken. Und an die Kojen. Das sind alles Sachen, die später drankommen. Hauptsache, das Boot ist aus dem Weg, damit sie im Schuppen Platz haben für die nächste Arbeit.«

Anna hörte nur noch halb zu. »Ich ruderte«, sagte sie, »ich lieh mir ein Ruderboot und ruderte ganz allein los, aber die Inseln lagen zu weit draußen, und dann musste man ja immer pünktlich zum Mittagessen zurück sein ... Aber wenn ich dieses Boot, das du gezeichnet hast, jetzt kaufe, brauchst du nicht zu glauben, dass ich die ganze Zeit damit herumfahren will. Das wird höchstwahrscheinlich sehr selten vorkommen. Eigentlich brauche ich nur zu wissen, dass es da ist ... Die Idee des Bootes, verstehst du. Du darfst nie vergessen, dass es dir gehört.«

»Das verstehe ich nicht«, sagte Mats.

»Was verstehst du nicht?«

Mats schüttelte nur den Kopf, er sah sie fast streng an.

»Du glaubst, ich rede nur«, sagte Anna ungeduldig. »Du weißt nicht, wenn ich etwas will, dann führe ich es auch bis zum Schluss durch, und alles andere bedeutet überhaupt nichts. Nur schade, dass ich in letzter Zeit so selten wirklich etwas will ... Aber dieses Boot will ich dir schenken. Nein, wir sprechen nicht mehr darüber, jetzt nicht. Und das bleibt ein Geheimnis zwischen uns beiden. Jetzt gehe ich ins Bett. Und heute Nacht werde ich sehr gut schlafen, und sehr lange.«

30

»Hast du einen Augenblick Zeit?«, fragte Mats.

Liljeberg sah von seiner Arbeit auf und stellte fest, dass es sich um eine Privatangelegenheit handelte. Sie gingen im Bootsschuppen ein paar Schritte nach hinten.

»Na, um was geht's?«

»Du hast das Boot doch hoffentlich noch niemandem versprochen?«

»Na ja, wie man's nimmt.«

»Es gehört nämlich mir«, flüsterte Mats, »verstehst du, es ist mein Boot, ich werde sein Besitzer.«

»Aha, so ist das also. Und wie habt ihr euch das mit der Bezahlung gedacht? Wann ist die denn sicher?«

»Die ist sicher.«

»Soso, ist also doch etwas daraus geworden«, sagte Liljeberg freundlich. »Reg dich jetzt nur nicht auf, das Boot ist keineswegs an die falsche Person versprochen. Hauptsache, ich weiß wegen der anderen Bescheid. Anonymer Auftraggeber, das klingt gut. Wenn man es nur sicher weiß.«

Später am Tag stand Liljeberg draußen vor dem Bootsschuppen und rauchte. Katri kam auf der Straße vorbei.

»Hallo, Hexchen«, sagte er. »Jetzt scheint es ja allmählich zu klappen.«

Katri blieb mit dem Hund stehen. Sie hatte Liljeberg gern.

»Nun scheint sich ja alles zum Besten zu wenden«, sagte er. »Und die Anzahlung kann warten. Auf jeden Fall ist es angenehm, nicht mehr herumgeheimnissen zu müssen. Jetzt wissen sie alle, dass das Boot Mats gehört.«

Katri stand wie angewurzelt vor ihm. »Wer hat das gesagt?«, fragte sie.

»Mats selbst natürlich, er sagte, es sei jetzt sicher. Ist irgendetwas nicht in Ordnung?«

»Nein.«

»Du siehst müde aus«, sagte Liljeberg. »Nimm das Leben doch nicht so ernst. Das meiste kommt von selbst in Ordnung, wenn man nur etwas wartet.«

»Das stimmt nicht. Nichts kommt von selbst in Ordnung, wenn man nur wartet. Manchmal kann man nämlich zu lange warten.« Katri und der Hund gingen weiter, der Hund blieb etwas zurück. Liljeberg sah ihr nach. Irgendetwas stimmt da nicht, dachte er.

Katri ging auf die Landzunge hinaus, immer wieder gab sie dem Hund Befehle, aber ruhig, mit sehr leiser Stimme. Der Hund sprang mit gesträubtem Fell auf die Seite, die Ohren wie beim Angriff steil vorgestellt. Plötzlich verlor Katri ihre Ruhe und begann ihren Hund anzuschreien, sie schrie die ganze Welt an, all das, was sie nicht mehr verkraftete, unbeherrschte Worte, die aus Enttäuschung und Müdigkeit entsprangen. Und da begann der Hund zu bellen. Kein Mensch im Dorf hatte Katris Hund jemals bellen gehört. Sie waren an das Kläffen der Köter gewohnt, doch dies war das Bellen eines großen Wolfshundes, sie hörten es überall und fragten sich, was geschehen sein mochte. Der Hund bellte immer weiter. Langsam folgte er Katri zum Haus, wo sie ihn im Hof an die Leine legte. Das Bellen hörte nicht auf.

»Was ist denn mit deinem Hund los?«, fragte Anna, »warum bellt er?«

»Das ist nicht mehr mein Hund«, antwortete Katri, »du hast ihn mir weggenommen. Und was hast du mit Mats angestellt, Abend für Abend seid ihr dort über euren Abenteuerbüchern gesessen und habt Pläne geschmiedet und eure Geheimnisse ausgetüftelt ...«

»Wovon sprichst du, ich weiß nicht, wovon du sprichst ...«

»Das Boot! Sein Boot! Du hast es ihm geschenkt.« Katri kam näher, sie weinte lautlos mit unbewegtem Gesicht. »Du hast ihm das Boot geschenkt. Ich war doch diejenige, die es ihm hätte schenken sollen. Das muss dir doch klar gewesen sein.«

»Nein«, rief Anna aus, »nein, das wusste ich nicht!«

»Das Spiel für Mats! Für mich war es Ernst.«

»Das wusste ich nicht«, wiederholte Anna. »So etwas darfst du nicht machen, du darfst mir nicht Angst machen ...«

»Ich weiß«, sagte Katri. «Man muss dich schonend behandeln. Du bist so empfindlich. Du verachtest das Geld. Geld ist nichts für dich, du verschenkst es, du sitzt darauf, du spielst damit, und was du auch tust, man muss dich auf jeden Fall schonend behandeln, Anna.

Es ist schön, Geschenke zu machen, nicht wahr? Einer netten Person etwas zu schenken, die sich dankbar überrascht zeigt, nicht wahr? Ich habe mein ganzes Leben mit ihm gelebt und die ganze Zeit nur darauf gewartet, ihm eine Freude machen zu können. Ich habe alles aufgeschrieben. Alles ist mit klaren, ehrlichen Zahlen, die du selbst gutgeheißen hast, aufgeschrieben. Stimmt das etwa nicht? Ich hatte eine Idee ...«

Anna war sehr erschrocken, und aus ihrem vollständigen Unverständnis heraus rief sie: »Du weißt nicht, wie es ist, eine Idee zu haben! Mats weiß es. Ich weiß es. Wir versuchen etwas zu gestalten, aber du rechnest nur ... Geh weg.«

Katri verstummte.

Anna sagte: »Ich hatte eine Idee. Ich hatte sie. Aber jetzt habe ich sie nicht mehr. Kannst du deinen Hund nicht dazu bringen, still zu sein?«

O Anna, lass den Hund bellen, lass ihn meinen Trauergesang über Willkür und Selbstbetrug hinausheulen, über die milde, unbewusste Grausamkeit und über die Dummheit, vor allem über die Dummheit, die rettungslose, begabte Dummheit, heule ihn in den Himmel hinauf! Nie werdet ihr wissen und nie verstehen, was ich versucht habe!

Katri ging zum Strand hinunter, dort kam Mats ihr entgegen. Er fragte: »Warum bellt der Hund?«
Sie antwortete nicht.
»Irgendetwas ist mit ihm passiert. Was willst du tun?«
»Nichts.«
»Nichts? Was sagst du da! Du weißt, dass er niemanden hat außer dir!«
»Mats, ich bitte dich. Werde nicht wütend. Nicht gerade jetzt.«
»Aber es ist, als wäre es dir egal ...«
Sie schüttelte den Kopf, nach einer Weile sagte sie: »Schau die Steine dort draußen an, sehen sie nicht wie Blumen aus?« Sie betrachteten die großen Strandsteine, die jetzt mit dem Frühling draußen im Eis aufgestiegen waren, jeder Stein war kohlschwarz aus dem sinkenden Eis hervorgetreten, und um jeden Stein war das Eis wie zu großen Blütenblättern aufgebrochen.
Katri hatte recht, die Steine waren tatsächlich wie Blumen, dunkle, weit hinaus verstreute Blumen, die lange Schatten aufs Eis warfen.
Es war kurz vor Sonnenuntergang. Die Sonne rollte eine Eisgasse aus blitzendem Gold vor ihren Füßen aus.

»Katri«, sagte Mats, »komm, ich muss dir etwas zeigen. Aber du musst dich beeilen, es ist nur noch ein paar Minuten hell.« Im Bootsschuppen war das Abendlicht ebenso stark wie draußen, es leuchtete ihnen von jeder polierten Holzfläche entgegen, von jedem noch so kleinen Werkzeug, sodass der ganze von Sonnenuntergang und Ruhe angefüllte Raum in dunklem Gold erstrahlte. Katri sah das Boot an. Es befand sich noch im Bau, vorläufig nur ein Skelett, ein Linienspiel, und es leuchtete klarer als alles andere. Dann sank die Sonne unter den Horizont, und die Farben erloschen.

»Ich danke dir«, sagte Katri. »Macht es etwas, wenn ich noch ein wenig hier sitzen bleibe? Nachher gehe ich wohl am besten zur Seeseite hinaus?«

»Ja, das ist besser«, antwortete Mats. »Vergiss nicht, den Haken wieder aufzulegen.«

31

Der Hund bellte die ganze Nacht hindurch. Manchmal heulte er. Gegen Morgen ging Katri hinaus und ließ ihn von der Leine, worauf der Hund in den Wald hineinlief. Später war das Gebell aus weiter Ferne zu hören.

Am nächsten Tag riss der Hund das Kaninchen, eigentlich ein recht unbedeutendes Ereignis, nichts Schlimmeres, als dass eines von Liljebergs Kaninchen zu Tode gebissen wurde, anstatt wie geplant ein paar Tage später geköpft zu werden.

Sie hatten sich gerade zum Essen hingesetzt. Der Hund scharrte mit den Krallen an der Flurtür, und Mats ließ ihn herein, da lief er zu Anna hinüber und legte ihr das tote Kaninchen vor die Füße. Anna ließ den Löffel in die Suppe fallen und wurde blass. »Bring es hinaus«, sagte Katri zu Mats. »Jetzt gleich.«

Anna saß still da, den Blick auf den Boden gerichtet, es war nicht viel Blut, nur ein paar Spritzer. Katri stand auf und ließ ihre Serviette über die fatalen Blutflecken fallen, sie ging zu Anna hinüber und sagte: »Es ist nichts. Darüber brauchst du dir überhaupt keine Gedanken zu machen. Es ist gar nicht wichtig.«

»Das mag ja sein«, bemerkte Anna und aß langsam ihre Suppe weiter. »Setz dich wieder hin.« Nach einer Weile fügte sie hinzu: »Katri, du bist lieb zu mir.«

Das tote Kaninchen wurde aufs Eis hinausgeworfen.

32

Nachts war das Bellen des Hundes weiterhin zu hören, manchmal weit entfernt, manchmal in der Nähe des Hauses. Gegen Morgen begann er meistens zu heulen. Dann konnte er wieder stundenlang still sein, aber es gab Leute, die im Bett lagen und auf sein nächstes Heulen warteten und zueinander sagten: »Hast du das gehört? Das ist ja, wie wenn Wölfe im Wald wären. Der unglückliche Hund einer unseligen Frau. Man müsste ihn erschießen.«

Katri sprach nicht von dem Hund, aber sie stellte ihm Futter und Wasser in den Hof hinaus. Mats setzte sich nachts manchmal ans dunkle Küchenfenster und wartete bei geöffneter Tür. Nur ein einziges Mal im Morgengrauen sah er den Hund, da ging er sehr langsam auf die Treppe hinaus und bat ihn, hereinzukommen. Doch der Hund lief in den Wald zurück. Danach ließ Mats es bleiben.

Eines Sonntags kam die Nygårds-Wirtin zu Besuch, sie hatte gebacken, und das in ein Handtuch gehüllte Brot war noch warm. »Fräulein Aemelin, ich würde mich gern allein mit Ihnen unterhalten, wenn Katri es nicht übelnimmt. Sonst sitzen Sie ja immer gemeinsam zu Tisch, wie ich verstehe.« Die Wirtin kam ziemlich bald auf ihr Anliegen zu sprechen: »Ich bin älter als Sie, Fräulein Aemelin, und daher wage ich, über Dinge zu reden, die sonst leicht ungesagt bleiben könnten. Im Dorf wird geredet. Und da dachte ich, es ist besser, wenn ich heraufkomme und mich selbst erkundige, was hier im Kaninchenhaus vor sich geht.«

»Was sagen die Leute?«, fragte Anna rasch, »was sagen sie über mich? Ist es der Kaufmann?«

»Bitte, Fräulein Aemelin, gedulden Sie sich …«

»Ich weiß schon«, unterbrach Anna sie, »das ist er, das kann nur er sein. Der Kaufmann ist ein boshafter Mensch, und man kann sich nicht auf ihn verlassen.« Auf Annas Wangen waren scharf abgegrenzte rote Flecken aufgeflammt, und ihre Augen hatten einen stechenden Blick, als sie sich zu ihrem Gast vorbeugte. »Nicht wahr, geben Sie es zu, es ist der Kaufmann. Oder Liljebergs. Die sind auch unehrlich. Sie betrügen Mats. Mats hat die ganze Zeit zu wenig verdient, das wissen alle. Und das alles hat mit dem Boot zu tun, oder nicht?«

Die Wirtin schwieg ziemlich lang, schließlich äußerte sie ziemlich ernst: »Ich hatte es doch im Gefühl, dass hier bei Ihnen irgendetwas nicht in Ordnung ist, und jetzt weiß ich, dass ich recht hatte. Mein liebes gutes Fräulein Aemelin, hören Sie mir bitte zu. Wir wollen nur wissen, ob es Ihnen gut geht. Warum heult der Hund?«

Anna schob ihre Kaffeetasse zurück. »Entschuldigung«, sagte sie, »ich habe mir eigentlich nie etwas aus Kaffee gemacht, früher mochte ich ihn, das heißt, ich glaubte, dass ich Kaffee mochte … Ich weiß nicht. Ich weiß nicht, warum er heult. Ich will nicht darüber sprechen.«

»Fräulein Anna, ist das Boot ein Geschenk von Ihnen?«

»Nein, das ist Katris Geschenk.«

»Ach so, Katris. Ja, sie hat wohl inzwischen einiges auf die hohe Kante gelegt.«

»Und wenn?«, rief Anna trotzig aus, »Katri hat sehr lange gespart, und sie hat alles in ein Buch eingetragen!«

Die Wirtin nickte langsam. »Ja, ja«, sagte sie, »Köpfchen muss man haben, und das haben die wenigsten.«

Anna fuhr mit unverminderter Heftigkeit fort: »Katri ist ehrlich!
Sie ist der einzige Mensch, dem man vertrauen kann!«

»Aber warum regen Sie sich so auf? Wir wissen doch alle, dass
Katri Kling eine tüchtige und ordentliche junge Frau ist. Mein
liebes gutes Fräulein …«

Anna unterbrach sie erneut: »Sagen Sie nicht liebes gutes …
Einen Augenblick. Nur einen Augenblick, es ist nichts …« Nach
einer Weile erklärte sie, das komme eben vom Alter, die Augen
würden immer so leicht tränen … »Und dann das Frühlingslicht.
Noch ein bisschen Kaffee?«

»Nein danke, das reicht.«

Die Wirtin saß ruhig mit verschränkten Armen da und wartete.
Schließlich begann Anna zu reden; sie sprach über etwas, das sie
seit Langem bedrückte: Sie hatte angefangen, über andere Leute
schlecht zu reden. »Früher habe ich das nie getan«, sagte sie,
»glauben Sie mir, das habe ich nie getan. Einmal kam jemand
zu uns und sagte zu Mama: ›Ihre Tochter ist ungewöhnlich, sie
sagt nie etwas Böses über andere Menschen.‹ Daran erinnere ich
mich noch, ich erinnere mich sehr genau daran. Aber warum?
Habe ich an die Menschen geglaubt? Oder geht es nur darum,
verzeihen zu können?«

»Na ja«, sagte die Wirtin, »das ist doch eigentlich alles Schnee
von gestern, nicht wahr?«

»Aber Sie glauben an die Menschen, oder nicht?«

»Doch, das tue ich schon. Warum sollte ich nicht an sie glauben?
Man sieht und hört ja so einiges von dem, was sie alles anstellen,
aber das sind schließlich ihre Angelegenheiten. Wozu soll man es
sich noch schwerer machen und auch noch bezweifeln, dass sie
das meinen, was sie einem sagen, nicht wahr?«

Anna sagte: »Es wird langsam dunkel. Ich möchte Sie nicht zu
lange aufhalten.«

»Ich habe keine Eile«, antwortete die Wirtin, »die Zeiten sind vorbei. Aber ich glaube, ich gehe trotzdem. Manchmal muss man sich davor hüten, zu viel auf einmal zu sagen.«

In derselben Nacht hörte der Hund auf zu heulen.

33

Der Frühling rückte näher. Tagsüber dampfte der Boden unter den Bäumen vor Sonnenwärme, die Nächte waren eiskalt und tiefblau. Es war eine funkelnd schöne Zeit. Das Boot stand kurz vor dem Stapellauf, doch im Kaninchenhaus sprach niemand davon. Die Eiderenten waren gekommen. Eines Nachts begann der Wind vom Meer hereinzublasen. Katri lag und horchte und dachte an die Frühlingsnächte, als sie zum Strand hinuntergegangen war und darauf gewartet hatte, dass das Eis aufging, damals war sie sehr jung gewesen. Und als es Zeit war für die ersten Möwen, war sie hinausgegangen, um auf sie zu warten, sie kamen fast immer in der gleichen Nacht.

Ja, es war immer nachts. Ich stand da und fror und lauschte und war völlig allein mit der Landschaft und der Nacht und hatte damals schon dieselbe Geduld wie jetzt. Und ich dachte ebenso große Gedanken wie jetzt, mit Plänen und Eroberungen, die weit in die Welt hinausreichten, aber es waren Gedanken ohne Halt und klares Ziel, sie waren nur sehr stark. Jetzt weiß ich, was ich will.

Katri konnte nicht schlafen. Bei Tagesanbruch stand sie auf, zog sich an und ging hinaus. Der Wind blies gleichmäßig und fest, und es war nicht kalt. Es war kurz vor Sonnenaufgang, und Strand, Eis und Himmel ruhten in demselben stillen, durchsichtig farblosen Licht. Katri stand am äußersten Ende des Anlegestegs und sah, wie sich das dunkle Eis über der Wellenbewegung dehnte und bog, ein sehr langsames Sinken und Heben.

Bald bricht es, aber jetzt noch nicht. Das Eis ist zäh. Weit drau-ßen ist es wahrscheinlich schon aufgegangen. Bald kommt der Stapellauf. Warum sagt er nichts über das Boot?

Katri ging weiter zum Leuchtturm hinaus, auf halbem Weg ent-deckte sie den Hund, der ihr am Waldrand folgte, bisweilen von den Bäumen verborgen, draußen auf der Landspitze war er verschwunden. Katri ging die Treppe zur abgeschlossenen Leuchtturm-Tür hinauf, sie hatte die Sonne direkt in den Augen. Am Uferrand war das Eis aufgebrochen, dünne Schollen rassel-ten flüsternd gegen die Steine, schoben sich übereinander und zerbrachen. Das Wasser war sehr dunkel.

Der Angriff geschah lautlos, doch Katri spürte den wilden Vor-satz des Hundes zu töten, als er auf sie zugestürzt kam, und sie warf sich gegen die Leuchtturmwand zurück und schlug die Arme vors Gesicht. Es war ein gewaltiger Sprung, des großen Tieres würdig, das seine Kraft noch nie bis zum Äußersten hatte einsetzen dürfen. Einen Augenblick lang schlug der Atem des Hundes heiß an ihre Kehle, die Krallen scharrten gegen Ze-ment, als der schwere Leib zurückfiel. Sie standen sich regungs-los gegenüber und sahen einander an, und beider Augen waren gelb. Schließlich legte der Hund die Ohren an und senkte den Schwanz. Mit einem heftigen Satz machte er kehrt und lief nach Osten, weg vom Dorf.

Mats stand im Hinterhof und stapelte Holz, als Katri nach Hau-se kam. Er sagte sofort: »Was ist passiert?«

»Nichts.«

»Wer hat deinen Mantel zerrissen?«

»Der Hund. Aber er hat mich verfehlt, es ist nichts passiert.«

Mats trat auf sie zu: »Du sagst die ganze Zeit: Es ist nichts. Was ist mit dem Hund passiert?«

»Er ist davongelaufen.«

»Das ist schlimm, jetzt kommt er wohl nie mehr zurück. Jetzt wird er wild. Und das schafft er nicht. Und du sagst nur, es ist nichts passiert.«

»Lass«, sagte Katri. »Was willst du, dass ich tun soll?«

»Daran Anteil nehmen!«, rief er aus. »Du sollst daran Anteil nehmen! Es ist doch dein Hund. Du machst ihnen Angst.«

»Mats«, sagte Katri. »Du wiederholst dich. Du bist zu viel mit Anna zusammen. Sei vorsichtig, sie ist im Augenblick nicht gut für dich.« Und dann konnte Katri ihre Worte nicht mehr zurückhalten, sie rief ihrem geliebten Bruder heftig entgegen: »Was glaubst du denn? Was glaubst du eigentlich? Habe ich es etwa nicht versucht? Ich habe eine ehrliche Vereinbarung getroffen, ich habe zu beschützen versucht, ich habe einem, der keine eigene Sicherheit hatte, keine Richtung, nichts, Sicherheit gegeben! Ich habe Geborgenheit geschenkt, Befehle erteilt. Was glaubst du denn, hast du nicht gesehen, wie ich mit dem Hund durchs Dorf gegangen bin, überlegen, wir waren wie ein einziges Wesen, der Hund war sicher und stolz wie ein König! Sämtliche Köter verstummten, wenn wir kamen. Wir konnten uns aufeinander verlassen, wir ließen uns nicht gegenseitig im Stich, wir waren eins, ein Ganzes, und ich hätte erwartet, dass …«

»Was hattest du erwartet?«

»Ich weiß nicht«, sagte sie. »Vielleicht, dass ihr an mich glaubt, dass ihr mir vertraut. Wenn du das Holz fertig gestapelt hast, musst du es zudecken, nimm die Bleche, die hinterm Schuppen liegen.«

Im Flur rollte Katri ihren Mantel zusammen und legte ihn ganz hinten in die Abstellkammer, in der die Familie Aemelin ihre Winterstiefel aufbewahrt hatte.

34

Die Nächte waren schon hell geworden, Tag für Tag wurden sie kürzer, und Katri konnte nicht schlafen. Schließlich hängte sie eine Decke vors Fenster, doch das half rein gar nichts, sie wusste ja, dass die Frühlingsnacht dort draußen war. Dunkelheit und Schlaf gehören zusammen, aber die hellen Nächte sind wach und voller Unruhe.

Warum hat Mats sich so über mich aufgeregt? Versteht er denn nicht, er muss doch verstehen, wie sehr ich versuche, alles, was ich tue, einer harten Prüfung zu unterziehen, jede Tat, jedes Wort, das man statt eines anderen Wortes wählt. Wenn man etwas mit seiner ganzen Kraft versucht, bis zum Äußersten, da müsste doch das Ziel, das man sich gesetzt hat, zählen, viel mehr zählen als das, wohin der Versuch schließlich geführt hat. Wenn man alle Kräfte, die man besitzt, sammelt, um Verantwortung zu übernehmen, um zu beschützen, wenn man der Willkür nicht die geringste Chance lässt ... Wer einmal abhängig geworden ist, den muss man in Ruhe lassen, er muss dem einzigen Menschen, der über ihn bestimmt und ihm Hilfe und Geborgenheit gibt, unerschütterlich vertrauen, an ihn glauben dürfen, das müssten sie doch begreifen ... Und wo läuft der Hund, wo läuft er heute Nacht, er glaubt an niemanden mehr, und daher ist er gefährlich geworden wie ein Wolf. Aber die Wölfe kommen besser zurecht, sie jagen im Rudel, nur die Einsamen werden verjagt oder erschlagen ...

Katri ging in den Hof hinaus. Der Hund war nicht da gewesen, das Futter war unberührt. In der Küche war Licht. Anna öffnete das Fenster und rief: »Katri? Bist du es? Wo hast du die restlichen Fleischklößchen hingestellt?«

»Unten, rechts. In eine viereckige Plastikschüssel.«

»Du kannst also auch nicht schlafen?«, fragte Anna.

»Nein. Man muss sich daran gewöhnen, dass es so hell ist.«

»Früher hatte ich das gern«, sagte Anna. »Ich hatte eine Menge Sachen gern.« Ihre Stimme war sehr kalt.

»Als du jung warst?«

»Nein«, versetzte Anna, »so lange ist es nicht her. Übrigens will ich nichts essen, und du kannst diese Futterschüssel hereinholen, der Hund kommt nicht zurück. Er will von dir in Ruhe gelassen werden.«

Anna machte das Licht in der Küche aus. Das starke nächtliche Licht drang durch alle Fenster des Salons herein, die aufs Meer hinausgingen. Hinter ihr sagte Katri: »Anna? Warte, geh noch nicht! Bitte, könntest du mir nicht erzählen, was mit dir geschehen ist?« Als Anna nicht antwortete, fuhr Katri fort: »Verstehst du nicht, wovon ich spreche?«

»Doch, das verstehe ich«, antwortete Anna, und ihre Stimme klang verändert, es war eine Stimme voller Mitgefühl. »Ich verstehe, wovon du sprichst. Das, was mit mir geschehen ist – das ist, dass ich den Erdboden nicht mehr sehen kann.« Und damit ging Anna in ihr Zimmer und machte die Tür hinter sich zu.

35

An einem schönen, stillen Frühlingsmorgen kam Mats herein und sagte: »Jetzt dürft ihr kommen und schauen. Wir haben den Bootsschuppen geputzt und arbeiten heute nicht.« Er war sehr fröhlich. Auf dem Weg hinunter zum Strand erklärte er Katri und Anna, dass Liljebergs nie halb fertige Arbeiten zeigten, nicht einmal der Auftraggeber dürfe vor dem Stapellauf den Bootsschuppen betreten. Die Pläne, die könne man natürlich beliebig oft gemeinsam durchgehen, doch dann könne man nur noch auf das Ergebnis vertrauen. Zwischen Fachleuten und Auftraggebern sei ein großer Unterschied.

Als sie in den Bootsschuppen kamen, standen die Brüder Liljeberg hinten an der Werkbank, sie grüßten mit gemessener Höflichkeit und überließen das Vorzeigen Mats, er war jung und eifrig und hatte das Schweigen des stolzen Handwerkers noch nicht begriffen. Der Fußboden war gefegt, und die Werkzeuge standen allesamt in ihren Halterungen. Mitten im Schuppen ruhte einsam das Boot, mit dem anspruchsvollen Doppel-V von Västerby signiert. Mats erklärte alles sehr hastig und mit gedämpfter Stimme, er führte Katri und Anna um das Boot herum und richtete unter anderem ihr Augenmerk auf Einzelheiten, die schwierig gewesen waren und lange Überlegung erfordert hatten. Die Frauen sagten nicht viel, sie hörten ernsthaft zu und nickten manchmal, wie man es angesichts einer guten Arbeit tut. Schließlich verstummte Mats, und sie blieben vor dem Steven stehen.

»Hm, ja«, sagte Edvard Liljeberg und kam zu ihnen her. »Dann wäre jetzt also alles fertig und in Ordnung. Jetzt steht nur noch eine wichtige Frage ins Haus, nämlich die Namensgebung. Wie soll es denn heißen?«

Niemand äußerte sich. Schließlich legte Anna die Hand an den Steven und sagte: »Das Boot könnte doch Katri heißen, das ist ein guter Name. Und das Boot ist ja Katris Geschenk an Mats.«

»Das klingt ganz gut«, bemerkte Edvard. »Darauf stoßen wir dann an, wenn es sozusagen von Stapel läuft.« Seine Brüder kamen her und schüttelten die Hände, dann begann eine allgemeine Diskussion, wo der Name stehen solle, am Heck oder am Bug oder vielleicht an der Seite der Kajüte, entweder in Messingbuchstaben oder in Holz eingraviert. Plötzlich fragte Anna: »Aber wo ist denn Katri abgeblieben?«

»Vielleicht ist sie schon gegangen«, sagte einer der Brüder Liljeberg und dachte, sie hätte wirklich bis zum Verabschieden warten können, es kommt schließlich nicht alle Tage vor, dass man einem Boot seinen Namen geben darf.

Edvard sagte: »Na, dann machen wir wohl Schluss für heute und genehmigen uns sozusagen einen Ruhetag. Wenn alle zufrieden sind, können wir froh sein.«

Anna und Mats gingen nach Hause. Der Weg zum Haus hinauf war lehmig und voller Rinnsale.

»Gib mir mal deinen Arm«, sagte Anna. »Dieser Weg ist jedes Jahr gleich anstrengend. Aber dieses Jahr ist er noch schlimmer.«

Mats sagte zögernd: »Tante Anna, eines verstehe ich nicht. Damals, abends, als wir über das Boot sprachen, da sagtest du doch …«

Anna unterbrach ihn: »Ja, ja, man sagt so manches. Ich habe mich geirrt. Deine Schwester hat sehr lange auf dieses Boot gespart, um es dir schenken zu können. Und übrigens bin ich nicht deine Tante. Ich bin Anna. Jetzt zerbrich dir nur nicht den Kopf, überleg dir lieber, wo die Kojen und der Motorenkasten und was weiß ich noch alles hinkommen sollen.«

Katri sah das Bootsmodell sofort, als sie in ihr Zimmer kam. Mats hatte das kleine Boot so ins Fenster gestellt, dass es sich gegen den Himmel abzeichnete. Katri schloss die Tür, ging zum Fenster hin und sah, dass es eine exakte Kopie war, alles stimmte bis ins kleinste Detail. Mats musste sehr lange daran gearbeitet haben. Er hatte dieselben Holzarten benützt. Da waren die Fangleine, die Kojen, der Motorenkasten, alles. Die Beschläge waren aus Messing. Am Bug war der Name mit der sorgfältig kopierten Schönschrift klassischer Inschriften eingraviert. Das Boot hieß Katri.

Jetzt waren sie zurückgekommen. Anna ging in ihr Zimmer. Mats kam die Treppe herauf. Katri hörte ihn kommen und wollte ihm sofort entgegengehen, wurde aber schüchtern und konnte es nicht und wusste nicht, was sie sagen sollte, doch kurz bevor er seine Tür hinter sich schloss, brach ihr Zögern, und sie eilte hinaus und schloss ihn fest in ihre Arme, nur einen Augenblick lang, und sie sagten beide nichts. Es war das erste Mal, dass Katri es wagte, ihren Bruder zu umarmen.

Gegen Abend legte sich der Wind, und es wurde ganz still, nur ab und zu das Kläffen eines Hundes aus dem Dorf. Und unten aus Annas Zimmer war den ganzen Tag kein Laut gedrungen. Ich weiß, sie ist wieder ins Bett gegangen, sie zieht sich die Decke über den Kopf und verschläft ihre Zeit, weil sie den Waldboden nicht mehr sehen kann und daher auf gar nichts mehr Lust hat. Sie lastet auf mir und zieht mich zur Erde hinunter, die ganze Zeit ist sie da wie ein Gewicht, sie, Anna Aemelin. Ich erinnere mich gut an den Hund damals, zu Hause, er hatte ein Huhn gerissen, und da banden sie ihm das tote Huhn um den Hals, sodass er es den ganzen Tag hinter sich herschleifen musste, bis er nur noch unbeweglich mit geschlossenen Augen in einem Morast aus Scham lag. Das war grausam. Es ist so abscheulich einfach, anderen ein schlechtes Gewissen einzuflößen ... Soll es jetzt so weitergehen? Vermutlich schon. Glaubt sie etwa, sie sei die Einzige, die müde ist? Da liegt sie nun unter ihrer Decke und versteckt sich, hat aufgegeben, weil die Welt nicht so ist, wie sie es sich eingebildet hatte. Ist das meine Schuld? Wie lange hat ein Mensch das Recht, mit Scheuklappen herumzulaufen, was erwartet sie eigentlich, diese Anna Aemelin, was will sie denn, dass ich noch tun soll ... Wenn sie wirklich das wäre, was sie zu sein vorgibt, wäre alles falsch gewesen, was ich getan und gesagt habe, alle Einsichten, die ich ihr beizubringen versuchte, das wäre alles schändlich gewesen. Aber das Unschuldige hat sie schon vor langer Zeit verlassen, ganz unbemerkt. Obwohl sie nur Gras frisst, ist sie alles andere als ein Lamm. Und sie weiß es nicht, und niemand hat es ihr gesagt, vielleicht haben sie sich nicht genügend für sie interessiert, um es zu wagen. Was soll ich tun? Wie viele Wahrheiten gibt es, und was gibt ihnen ihre Berechtigung – das, was man glaubt? Das, was man erreicht? Selbstbetrug? Zählt nur das Resultat? Ich weiß es nicht mehr.

Annas Stock klopfte mehrmals wütend an die Decke. Als Katri zu ihr herunterkam, saß Anna, in ihre Decke gewickelt, im Bett. »Was treibst du eigentlich?«, fragte sie. »Seit Stunden trampelst du da oben hin und her! Ich versuche zu schlafen!«

»Das weiß ich«, erwiderte Katri. »Du schläfst nur. Du schläfst und schläfst. Glaubst du, es fällt mir leicht zu wissen, dass du deine Tage verschläfst, weil nichts genau dem entspricht, was du dir vorgestellt hast?«

»Was soll das heißen?«, sagte Anna. »Was hast du dir jetzt wieder ausgedacht? Worüber musst du jetzt wieder predigen? In diesem Haus hat man wirklich nie seine Ruhe. Freust du dich denn nicht über sein Boot?«

»Doch, Anna, ich freue mich über sein Boot. Das war sehr großmütig von dir. Das heißt, du warst ganz einfach gerecht.«

»Na also«, versetzte Anna ungehalten, »was hast du dann dagegen, dass ich schlafen will? Jetzt hast du ohnehin dafür gesorgt, dass ich hellwach bin. Setz dich und beruhige dich. Was ist los?«

»Da ist etwas, was ich dir sagen muss. Es ist wichtig.«

»Wenn es wieder um die Vereinigten Gummiwerke geht …«, begann Anna.

»Nein. Es ist wichtig. Hör mir zu. Hör genau zu. Ich bin nicht ehrlich zu dir gewesen. Du musst wissen, dass ich von Anfang an gelogen habe, ich habe über andere Menschen Sachen gesagt, die nicht stimmen, ich habe mich geirrt, und jetzt musst du mir erlauben, es dir zu sagen.« Katri sprach sehr schnell, sie blieb bei der Tür stehen und sah an Anna vorbei an die Wand.

»Merkwürdig«, bemerkte Anna, »sehr merkwürdig.« Sie stand auf, strich sich das Kleid glatt und legte die Decke wieder an ihren Platz.

»Du bist erstaunlich. Manchmal habe ich gedacht, dass ich keinen so tödlich ernsten Menschen kenne wie dich. Die anderen reden, aber du äußerst dich. Das einzig Komische an dir ist, dass du plötzlich Sachen sagst, die man überhaupt nicht erwartet hätte. Bist du im Augenblick gerade komisch?«

»Nein«, antwortete Katri, ohne zu lächeln.

»Kannst du all das wiederholen, was du mir soeben gesagt hast?«

»Nein.«

»Du hast behauptet, du hättest mich angeschwindelt.«

»Ja.«

»Und was soll das bedeuten?«

»Das bedeutet«, antwortete Katri mühsam, »das bedeutet, dass die anderen dich nicht betrogen und getäuscht haben. Mit den anderen meine ich all jene Menschen, mit denen du zu tun hast. Die um dich herum leben und die dir schreiben. Sie haben dich nicht getäuscht. Du kannst wieder an sie glauben.«

»Nimm dir eine Zigarette und setz dich her«, sagte Anna. »Steh bitte nicht mit so einem Gesicht da herum! Da ist der Aschenbecher. Sprichst du jetzt zum Beispiel vom Kaufmann und von Liljeberg?«

»Ja.«

»Oder möglicherweise von unserer unerhörten Frau Sundblom?«, sagte Anna und lachte auf.

»Anna, das hier ist ernst. Es ist sehr wichtig.«

Aber Anna fuhr mit plötzlicher, boshafter Ausgelassenheit fort: »Wichtig? Was meinst du mit wichtig? Vielleicht bedeutungsvoll? Sprichst du von diesen Plastikfirmen? Die haben mich also überhaupt nicht betrogen? Die haben mich ebenso gut behandelt wie meine Verlage? Die waren genauso unschuldig wie diese von Grund auf verdorbenen Kinder, die nur immerzu haben und haben und haben wollen ... Wovon sprichst du? Ist es das, was du mir zu sagen versuchst?«

»Anna, ich bitte dich.«

»Sie haben mich also nicht betrogen? Keiner von ihnen?«, fragte Anna.

»Keiner.«

»Du bist ein ziemlich seltsamer Mensch«, sagte Anna, »du rechnest dies und jenes aus und kannst es auch noch beweisen. Du ertappst einen jeden bei Schlechtigkeiten und überzeugst einen davon, dass es stimmt. Und dann kommst du und sagst, du wagst es, zu mir zu kommen und zu sagen, dass es nicht gestimmt hat! Warum machst du so etwas?«

Sie hatten sich an den kleinen Tisch gesetzt, der an der Wand stand. Sie saßen sich gegenüber, Anna betrachtete Katri, und auf einmal kam es ihr so vor, als hätte sie noch nie einen so traurigen Menschen gesehen wie Katri Kling. Sie fragte: »Versuchst du lieb zu mir zu sein?«

»Jetzt bist du misstrauisch«, sagte Katri. »Eines kannst du wirklich glauben, und zwar, dass ich nie versuche, lieb zu sein. Ich werde das, was ich gesagt habe, so lange wiederholen, bis du an das glaubst, was ich sage.«

»Aber dann kann ich ja nie mehr an dich glauben!«

»Nein, das kannst du nicht.«

Anna beugte sich über den Tisch vor und sagte: »Katri, irgendetwas an dir ist« – sie suchte nach Worten und fuhr fort – »zu absolut. Und das führt nirgends hin. Wäre es nicht besser, wenn du dich ein wenig hinlegen würdest?« Sie legte ihre Hand auf die von Katri. »Nur ein paar Stunden. Dann verstehen wir das alles vielleicht besser.«

»Zu absolut?«, wiederholte Katri, »und das führt nirgends hin?« Sie drückte ihre Zigarette aus und sagte: »Wenn hier jemand absolut ist, dann bist du es. Und das wird dich geradewegs dorthin führen, wo du hinwillst. Das weiß ich. Ich werde dir einen Brief schreiben.«

»Nicht noch mehr Briefe ...«

»Nur einen einzigen. Und den darfst du nicht in deinen Schrank wegstecken. Ich werde dir beweisen, dass ich nicht recht gehabt habe. Du hast es ja schon erwähnt: Ich kann so manches ausrechnen, und beweisen kann ich es auch. Du wirst bis ins

170

kleinste Detail davon überzeugt werden, dass ich unrecht gehabt habe.«

»Katri«, sagte Anna, »solltest du dich nicht doch lieber ein wenig ausruhen? Wir haben einen langen Tag hinter uns.«

»Ja«, antwortete Katri, »es war ein langer Tag. Jetzt werde ich gehen.«

36

Als Katri in ihr Zimmer zurückkehrte, holte sie ihren Koffer unterm Bett hervor. Sie öffnete ihn und blieb dann lange lauschend auf der Bettkante sitzen. Der Abend war sehr still. Doch die ruhige Stille gab ihr keine Ratschläge, was sie tun sollte. Worte und Bilder, unausgesprochene oder übereilte Worte und ungesehene oder überdeutliche Bilder rasten durch sie hindurch, und das Einzige, was schließlich in Katris Bewusstsein blieb, war der Hund, ein Hund, der unter der warnenden Bezeichnung des Wolfspelzes rastlos weiterläuft.

37

An einem wichtigen, sorgfältig erwogenen Morgen begab Anna sich sehr zeitig hinaus, um zu arbeiten. Am Tag zuvor hatte sie den Platz ausgesucht und den Schemel hinausgetragen, der so niedrig war, dass Farbkasten und Wasserbecher in Reichweite stehen konnten. Anna benützte nie eine Staffelei, Staffeleien waren in ihren Augen viel zu aufdringliche Hilfsmittel, viel zu deutlich. Sie wollte so unbemerkt wie möglich arbeiten, das auf die Platte gespannte Papier auf dem Schoß, in der Nähe ihrer Hand. Am besten ist die Beleuchtung frühmorgens oder auch am Abend, da vertiefen sich die Farben, man muss die Zeit nützen, bevor die Schatten verblassen und sich verlieren.

Anna saß da und wartete, bis der Morgennebel durch den Wald davongezogen war, die Stille, die sie benötigte, war vollkommen. Und als alles Störende sich verzogen hatte, trat der Waldboden hervor, feucht, dunkel und bereit, über dem wartenden Wachstum aufzubrechen. Es wäre unvorstellbar gewesen, den Waldboden mit geblümten Kaninchen zu stören.

Tove Jansson

im Verlag Urachhaus

Die Tochter des Bildhauers

127 Seiten, geb. mit SU

Was der Goldene Schnitt ist oder wie ein Wald gemalt werden
muss, wie man Feste feiert und was man Künstler unter keinen
Umständen fragen darf – über all das weiß die Tochter des Bild-
hauers haargenau Bescheid. – Nicht umsonst schläft sie in der
elterlichen Atelierwohnung auf dem »Schlafregal« und behält
den Überblick.

Eine faszinierende, eigenwillige Welt tut sich in den Kindheits-
episoden der begnadeten Erzählerin Tove Jansson auf, die den
Leser unmittelbar verzaubert.

Fair Play

121 Seiten, geb. mit SU

Mari und Jonna, zwei Künstlerinnen, zwei Ateliers – verbunden
durch einen Gang auf dem Dachboden. Tag für Tag, Jahr für
Jahr leben und arbeiten sie Seite an Seite, in Helsinki, auf einer
abgelegenen Schäreninsel oder auf Reisen durch Europa und die
USA. Immer geleitet vom gegenseitigen Respekt, verlieren sie nie
aus dem Blick, wie sie die Kreativität der anderen unterstützen
können.

Fair Play ist der letzte und vielleicht persönlichste Roman Tove
Janssons, der Schöpferin der weltweit bekannten Mumintrolle.

Tuula Karjalainen

Die Biografie

Aus dem Finnischen von
Anke Michler-Janhunen und Regine Pirschel

352 Seiten, geb.

»Arbeite und liebe« – das war ihr Lebensmotto. Die vielseiti-
ge finnische Künstlerin Tove Jansson (1914–2001) begann ihre
Karriere in den 1930er-Jahren als Malerin und politische Kari-
katuristin. Um dem Grauen des Krieges zu entfliehen, schuf sie
mit ihren Mumins eine paradiesische Gegenwelt und wurde die
international gefeierte und preisgekrönte Kinderbuchautorin
und Comic-Zeichnerin. In der zweiten Hälfte ihres erfüllten Lebens war sie vor allem Schriftstellerin, deren hintergründige,
poetische und humorvolle Romane und Erzählungen als literarische Kleinode gelten.

Tuula Karjalainens einfühlsame, reich bebilderte Biografie dieser
außergewöhnlichen Künstlerin wurde mit dem renommierten
finnischen Lauri-Jäntti-Sachbuch-Preis 2014 ausgezeichnet.

URACHHAUS